Ik ken jou ergens van

Lees ook van Ellen Stoop:

Ellen Stoop

IK KEN JOU ERGENS VAN

UITGEVERIJ HOLLAND - HAARLEM

Gestommel op de trap. 'We kunnen gaan,' roept mama. Eindelijk. Ze kan altijd vreselijk moeilijk afscheid nemen van een schilderij waar ze aan werkt, iedere keer ziet ze weer iets wat beter kan. Ik sla mijn boek dicht. Bladzijde 19. Dat onthoud ik wel. Dat is ons huisnummer.

Papa pakt de grote paraplu. Samen rennen we naar nummer 15.

'Dag, Lisanne,' zegt Koos. Zo heet ik officieel. Niemand noemt mij zo. Maar hij is de enige van wie ik het niet erg vind.

'Arie, laat me raden,' zegt hij als hij het cadeau van papa aanpakt. 'Een boek?' Dat zegt hij ieder jaar. Koos geeft hem ook altijd een boek. Als papa en Koos geen muziek maken, lezen ze. Net als ik.

'Belletje!' Karin trekt mama naar zich toe. 'Wat zie je er moe uit! Je werkt veel te hard, zusje.'

En dan pakt ze mij vast. 'Sannie, liefje, geef me een kus.' Ze duwt haar wang tegen de mijne en lacht. Karin weet dat ik niet zoen. Nooit.

Oma Annie, de moeder van Koos, wil dat ik naast haar kom zitten op de bank. Lodewijk schuift aan mijn andere kant. Hij is mijn beste vriend, mijn lievelingsneef én mijn buurjongen. Nou ja, bijna. Er zit maar één huis tussen.

'Appeltaart?' vraagt Karin.

Natuurlijk! Die van haar zijn lekkerder dan uit de winkel. Ze duwt een schoteltje in mijn hand met een flink stuk erop. Ik zit bijna klem tussen de brede heupen van oma Annie en de harde spillebenen van Lodewijk. Probeer dan maar eens netjes met een vorkje te eten. Ja hoor, het stuk appeltaart valt al op z'n kant. Bijna schuift de taart met slagroom en al op mijn broek, maar oma Annie houdt het schoteltje net op tijd recht.

Eigenlijk willen Lodewijk en ik het liefst naar boven. Hij heeft al een paar keer met zijn been tegen het mijne geduwd. Mijn taart is op, nu de limonade nog.

En dan kunnen we eindelijk naar zolder. De verkleedkist staat er al zo lang ik me kan herinneren. Hoeden, petten, rokken, shawls, jurken. En naast de kist staat een rij pumps waar Karin niet meer op loopt. Alles ruikt een beetje muf.

Lodewijk pakt een pet en loopt naar de grote spiegel in de hoek. 'Net een boertje.'

Ik knik. Misschien kunnen we als twee boertjes.

Lodewijk zoekt verder. Hij valt bijna in de kist, zo ver hangt hij over de rand.

'Die is voor jou,' zegt hij als hij me iets wits geeft.

Ik in een jurk? Nou, voor één keer dan. Ik laat het ding over mijn hoofd glijden. Er zitten pofmouwen aan en ruches aan de onderkant. Hij hangt bijna op de grond en is veel te wijd, vooral van boven waar borsten horen te zitten die ik nog niet heb. Ik gooi mijn sneakers uit, pak een paar witte hoge hakken en waggel naar de spiegel.

Ik lijk wel een prinses. Dat is echt het laatste wat ik wil! Ik ben géén prinsessenmeisje, nooit geweest. Die jurk moet zo snel mogelijk uit.

'Aanhouden!' roept Lodewijk. 'Dan gaan we zo naar beneden.'

'Echt niet!'

'Ah, kom op, Sannie,' zegt hij met zijn liefste stemmetje. 'Doe het voor mij.'

Ik heb een veel leuker idee. Ik ga echt niet in een jurk.

Voorzichtig lopen we de trap af. Ik kan mijn lachen bijna niet houden.

Karin is de eerste die ons ziet. Ze schatert het uit. 'Haha! Die pofmouwtjes staan je enig!'

Mama, oma Annie en Koos beginnen ook te lachen. Lodewijk ziet er zó grappig uit in die jurk, met hoge hakken en zijn lippen rood gestift.

Papa is de enige die niet kijkt. Hij staat bij het raam. Hallo, het is zondag! We zijn op de verjaardag van Koos! Dan kijk je toch niet de hele tijd op mama's iPhone?

'Papa,' roep ik boos. 'Kijk!'

Hij draait zich om. 'Sorry. Een berichtje van Benno. Ze willen dat je naar New York komt, Isabel!'

'New York?' Mama slaat haar hand voor haar mond. 'Ik? Wanneer?'

'Volgende week.'

Volgende week? Dat is al hartstikke snel. Mama had wel verteld dat Benno contacten had in New York, en dat het heel spannend was, maar nu willen ze dus al dat ze komt...

'Mijn zus wordt beroemd!' roept Karin. 'Koos, champagne!'

Mama kijkt een beetje beduusd als papa zijn armen om haar heen slaat en haar kust.

Ze lachen en letten gelukkig niet op mij. Ik weet dat ik blij moet zijn voor mama, maar ik kan alleen maar denken aan wat Benno vorige week zei. Als New York eenmaal aan je voeten ligt, is een internationale doorbraak dichtbij. Benno kan het weten, zegt mama altijd. Hij is de eigenaar van de galerie waar ze al heel lang exposeert.

Een zachte hand tegen mijn wang. 'Ben je niet blij voor me, Sam?' vraagt mama als ze mijn pet over mijn ogen trekt.

Zo noemt ze me altijd als ik eruitzie als een jongen. Dat doet ze al sinds ik klein ben.

Ik probeer te lachen en knik.

2

Ik moet er nog steeds aan wennen dat Lodewijk boven aan de trap de andere kant op gaat. Sinds een week zitten we niet meer samen, voor het eerst in ons leven. Zelfs de pauzes hebben we apart.

Alle meisjes zitten al, de jongens hangen en kletsen nog wat. Als ik naar mijn plaats loop, doet meester Peter de deur dicht. De jongens vliegen naar hun tafeltje. Dan klinkt de tweede bel.

In mijn vorige groep liepen we dan pas naar onze plek. Maar groep 8 is zo vreselijk braaf! En meester Peter is niet eens streng. Ik doe maar net als iedereen. Ze letten al genoeg op me omdat ik nieuw ben.

Maandag beginnen we altijd met rekenen. Iedereen heeft zijn boek al open.

BLZ. 21, heeft meester Peter op het bord geschreven. Daaronder staat in blokletters: SOM 3 T/M 11. Rekenen vind ik het leukste vak op school. Ik was altijd al bijna klaar als de anderen nog moesten beginnen. Daarom mocht ik van groep 6 direct naar groep 8. Nu moet ik tenminste echt nadenken.

Maar ik kan me niet concentreren. Heeft mama er wel aan gedacht dat papa 's avonds heel vaak concerten heeft? En overdag bijna altijd aan het repeteren is? Wie is er dan bij mij?

'Sannie, begin jij ook?' Meester Peter klopt op mijn tafeltje en schuift verder.

Ik moet er wel aan wennen, zijn gezicht zo dichtbij als hij langskomt. Zijn benen schuiven naar links, naar rechts, zijn handen liggen achter op zijn gebogen rug. Voor het bord gaat hij pootje over. Dat ziet er zo gaaf uit. De vloeren zijn heerlijk glad in dit lokaal, zei meester Peter toen hij vorige week onze tafeltjes extra ver uit elkaar schoof. En nu de winter in aantocht is, zei hij, moet ik trainen voor de Elfstedentocht. Dus als jullie sommen maken, schaats ik rondjes. Als je wat wilt vragen, steek je gewoon je hand op, dan stop ik.

Som 3 is makkelijk. Er staat een rechthoek. Bij de ene zijde staat 13 cm en bij de andere 5 cm. Eronder staat: Wat is de omtrek? Dat is vermenigvuldigen natuurlijk. 5 x 13 = 65.

Bij Carl stopt meester Peter. Carl is nieuw op school. Toen hij op de eerste schooldag iets over zichzelf moest vertellen, zei hij dat hij overal had gewoond. Hij was geboren in Australië en had in Amerika, Aruba en Afrika op school gezeten. Best zielig als je ouders zo vaak verhuizen. Maar het klonk ook wel een beetje opschepperig.

Brit vraagt of ik mee wil doen met touwtjespringen. Ze

is de eerste die tegen me praat in de pauze. Met Lodewijk verveelde ik me nooit. Vorige week heb ik elke dag op het muurtje gezeten. Van daaruit kan ik de jongens zien voetballen. Ik zou best mee willen doen, maar in groep 8 voetballen meisjes niet.

'Jij draait,' zegt Brit.

Maartje staat aan de andere kant. Na vijf minuten neemt Sophie haar plaats over, daarna gaat Aïsha voor haar draaien. Niemand vraagt of ik wil springen. Gelukkig maar. Ik ben niet zo goed in meisjesdingen. Laat mij maar lekker draaien. Als het tijd is, trekt Brit het touw uit mijn handen en loopt lachend met de anderen naar binnen. Ineens besta ik niet meer.

In de gang komt Carl naast me lopen. Misschien wil hij vrienden worden omdat ik ook nieuw ben. Dan moet hij wel ophouden met dat gestaar. Ik zie heus wel dat hij steeds naar me kijkt. In de klas, net vanaf het muurtje en nu weer. Hij kijkt niet gewoon, maar alsof hij iets zoekt.

'Ik ken jou ergens van,' zegt hij ineens.

Ik draai mijn hoofd opzij. Hij heeft blond haar, groene ogen, een ronde metalen bril, sproetjes op en naast zijn neus en een van zijn voortanden mist een stukje. Ik heb hem echt nooit eerder gezien.

'Ik jou niet,' zeg ik en ren gauw de trap op, weg van die starende ogen.

3

Ze zit op haar hurken voor het schilderij. Pas als de kopjes rinkelen, kijkt mama om.

'Heb je thee? Heerlijk, schat.' Ze veegt een lok uit haar oog en schildert verder. 'Hoe was het op school?' Dat vraagt ze altijd, maar ze wacht nooit op antwoord. Nu ook niet. Ze zucht. 'Morgen is de opening en ik moet nog zoveel doen... Schenk jij in?'

Ik ben de opening helemaal vergeten. Logisch dat ze het te druk heeft om naar mij te luisteren. Ik weet dat ze blij is als ik vertel dat ik heb meegedaan met touwtjespringen. Ze vindt het fijn als ik met meisjes speel. Zal ik het toch vertellen? Net als ik mijn mond open wil doen, begint haar smartphone te zoemen. Als ze oppakt en haar naam zegt, gaat ze Engels praten. Ze merkt niet eens dat ik naar beneden ga.

Na een kwartier stormt ze de kamer binnen. 'Ik moet even naar de galerie. Wil je mee?'

Ik sla mijn boek dicht. Bladzijde 67. Omi is 67, dat onthoud ik wel.

'Goed,' zeg ik. Het klinkt hopelijk alsof ik haar een plezier doe in plaats van mezelf.

Mama stift haar lippen bij de spiegel. Dat doet ze altijd

voor ze de deur uitgaat. Dieprood. Ik ga naast haar staan. Ze is nog maar een kop groter dan ik. Als ze een hand door haar haar haalt, kijkt ze me lachend aan. 'Wat ben jij ineens ijdel!'

Ik kijk niet naar mezelf, ik wil gewoon weten hoeveel ik nog moet groeien om even lang te zijn, maar ik zeg niets. Laat mama maar lekker denken dat ik graag in de spiegel kijk. Zoals alle meisjes.

Het is tien minuten rijden. Ze praat aan één stuk door. Over het schilderij dat ze nog moet afmaken, over de belangrijke meneer die belde uit Amerika en wat die allemaal zei. Ze denkt geen moment aan hoe het met mij en papa moet als ze weg is. Ze denkt alleen nog maar aan New York en beroemd worden.

'Wat ben je gegroei-oeid, San,' zegt Michèl met een lange uithaal als hij me tegen zich aanduwt. Benno blaast een handkus naar me toe voor hij met mama de smalle lichte ruimte in loopt.

De grootste schilderijen hangen al. Zwarte vegen, grijze vlekken, bruine lijntjes en soms goud. Meer kleuren gebruikt mama niet. Ik kan nooit zien wat het voorstelt. Maar in mama's hoofd is het wel iets. 'Zee' staat er op het bordje naast het allergrootste schilderij. Als je goed kijkt, zei mama toen het net klaar was, zie je golven en meeuwen. Misschien kan ik niet goed kijken, maar ik zag alleen maar strepen en vegen. Geeft niks, zei mama la-

chend. Je mag er ook best iets anders in zien. Of niets.
Mama en Benno staan bij de kleinere schilderijen die
tegen de muur staan. Die wil mama altijd zelf ophangen.
'Wilde Loodje niet mee?' vraagt Michèl. Hij blijft altijd
bij mij als mama en Benno bezig zijn.
Ik haal mijn schouders op. Ik weet niet eens waar Lode-
wijk is. Ik ben zo snel mogelijk naar huis gegaan om bij
mama te zijn nu ze nog thuis is.
'Kom, San.' Michèl trekt me mee naar het keukentje ach-
terin de galerie. 'Limo?'
Hij vindt het vast jammer dat hij nu niet kan vragen: li-
mootje, Loodje? Als hij dat zegt, buldert hij altijd van het
lachen.
'Michèl,' roept Benno. 'Mogen Isabel en ik een sapje?'
'Komt eraan,' roept Michèl terug als hij de koelkast opentrekt.
'Leuk, hè,' zegt hij, 'dat je moeder en Benno naar New
York gaan.' Hij schenkt mijn limonadeglas vol.
Ja, hartstikke leuk, maar niet heus. Ik weet dat het egoïs-
tisch en kinderachtig is en dat ik blij moet zijn voor
mama, maar ik wil niet dat ze weggaat en dat New York
aan haar voeten gaat liggen. Straks wil de hele wereld dat
mama komt. Dan is ze nooit meer thuis.

4

'Waar was je gisteren?' vraagt Lodewijk als ik onze voordeur dichttrek.

Hij bedoelt natuurlijk dat ik niet op hem heb gewacht. 'Ik moest m'n moeder helpen,' zeg ik. 'Komen jullie vanavond ook naar de opening?'

Hij knikt. 'Natuurlijk.'

De hele weg naar school hoort hij me uit over New York en wat Isabel ervan vindt. Ik geef superkorte antwoorden, maar hij blijft vragen stellen.

Pas als we bijna bij school zijn, is hij ineens stil. Hij denkt misschien dat ik het niet merk, maar ik zie het heus wel. Zodra hij over de drempel van school stapt, verandert hij. Hij sleept zichzelf de trap op alsof er lood in zijn zolen zit. Hij vindt leren niet leuk en makkelijk zoals ik en hij is bang om iets verkeerd te doen. Karin en Koos vinden hoge cijfers belangrijk.

Na het dictee moeten we allemaal naast ons tafeltje gaan staan.

'Vandaag gaan we schaatsen,' zegt meester Peter.

Schaatsen? Het is september! De kunstijsbaan is nog niet eens open.

'Zak maar door je knieën en leg je handen op je rug.'

De jongens staan erbij alsof ze de nieuwe Sven Kramer zijn. De meisjes beginnen te giechelen. Brit en Maartje gooien eerst hun lange haren over hun schouders en duwen dan heel overdreven hun kont naar achteren. 'En nu eerst je rechtervoet naar buiten schuiven.' Meester Peter doet het voor. 'En dan links.' Hij schuift de andere kant op.

Maartje staat nog op haar rechterbeen als Max tegen haar aan botst. Brit proest het uit en alle meisjes beginnen te gieren van het lachen. Alle meisjes behalve ik. Wat is er nou zo grappig aan dat Max bijna op haar valt?

'Nu wil ik dat jullie goed opletten,' zegt meester Peter. 'We doen het allemaal precies tegelijk. Dus rechts... links... Als je bij het bord bent, stop je. Rechts... links... rechts...'

Ik vind schaatsen leuk. Ik hoop dat hij ons ook pootje over leert en dat het deze winter flink gaat vriezen.

In de pauze duwt Brit een uiteinde van het touw in mijn hand en geeft Aïsha het andere stuk. Oké, ik draai wel weer. Brit en Maartje gaan tussen ons in staan en dan beginnen we. Aïsha geeft de maat aan, ik draai mee. In de verte klinkt gejuich, er is gescoord op het voetbalveld. Ik kan niet zien wie het doelpunt heeft gemaakt, maar ik denk Lennart. In mijn ooghoek zie ik Carl vanaf het muurtje naar me kijken.

Ineens voel ik een harde ruk aan het touw. Ik kan niet verder draaien. Maartje staat er bovenop.

'Opletten,' roept Brit boos naar me.

Ik lette inderdaad niet op. Ik word zenuwachtig van dat gestaar van Carl.

'Nu mag jij springen,' zegt Maartje. Ze loopt op me af en trekt het touw uit mijn hand.

Ik wil helemaal niet springen. Ik kan er niets van. Maar het móet goed gaan. Dit is een test. Als ik gauw af ben, mag ik nooit meer mee doen.

Maartje en Aïsha beginnen te draaien en ik spring op, op, precies tegelijk met Brit. Dit is best leuk. Een, twee, spring, een, twee, spring. Als ik goed blijf tellen en niet naar Carl kijk, kan er niets misgaan.

Na twaalf keer springt Brit tegen het touw. Ze kijkt superchagrijnig als ze het uiteinde van Aïsha overpakt. Ze had natuurlijk nooit verwacht dat ik het langer zou volhouden dan zij.

Als Aïsha en ik springen, gaat de bel. Brit laat het touw vallen, Maartje trekt het naar zich toe en voor ik het weet zijn ze verdwenen.

Op de trap komt Carl naast me lopen. Hij kijkt weer zo.

'Je komt me zo bekend voor,' zegt hij. 'Ik heb jou eerder gezien.'

Misschien heb ik wel een dubbelganger. Wie weet heeft hij die een keer zien lopen. Hij heeft toch overal gewoond? Ik ben nog nooit verder geweest dan Frankrijk, dus waar kan hij míj van kennen?

'Waar dan?' vraag ik. 'In Afrika of in Amerika? Of was het in Australië?' Ik vind mezelf wel grappig, maar Carl lacht niet. Hij is bloedserieus.

'Ik weet niet meer waar. Maar jij was het,' zegt hij. 'Ik vergeet nooit een gezicht.'

5

De galerie stroomt langzaam vol. Iedereen loopt op
mama af. Kus, kus. Ze duwt een bos bloemen in mijn
handen, hij is zo zwaar dat ik hem nauwelijks vast kan
houden. Papa pakt twee flessen wijn aan. Dan klinkt een
harde piep en de stem van Benno. 'Test, test.'
Net als Michèl de deur van de galerie dicht wil doen, glipt
Lodewijk naar binnen met Karin en Koos. En dan begint
Benno. Dat hij zo blij is dat er zoveel mensen zijn, dat Isabel weer prachtige schilderijen heeft gemaakt. Zo begint
hij elke opening. Dan vertelt hij dat de twee grootste al
verkocht zijn. Iedereen klapt. Vooral papa die achter me
is komen staan.
'En weten jullie al dat Isabel naar New York gaat?' roept
Benno in de microfoon.
Iedereen klapt en juicht. Karin fluit op haar vingers. Ik
wou dat ik dat kon.
Benno en Michèl schenken champagne in. Als alle glazen
vol zijn, roept Michèl: 'Wacht, San en Lo hebben nog
geen limo!' Hij rent naar het keukentje.
Als Lo en ik ook een glas hebben, kijkt iedereen naar
mama. Ze straalt.
Dat is mijn moeder denk ik, míjn moeder...

Papa slaat een arm om haar schouder en duwt zijn glas tegen het hare. Hij is trots. Maar hij vindt het ook niet leuk dat mama weggaat, dat weet ik zeker.

'Spannend, man!' Lo tikt mijn glas aan. 'Je moeder wordt misschien wel schatrijk.' Hij lacht.

Ik vind het helemaal niet spannend. Geld interesseert haar geen bal en mij ook niet.

'Wat waren jullie laat,' zeg ik.

Door al het geroezemoes verstaat hij me niet. Ik trek hem mee naar het keukentje en struikel bijna over de emmer met bloemen. Daar zeg ik het nog een keer.

'We konden geen parkeerplaats vinden,' zegt hij.

'Waarom heb je niet op me gewacht vanmiddag?'

'Loodje, ga jij hier even mee rond?' vraagt Michèl.

Terwijl Lodewijk me nog steeds vragend aankijkt, pak ik snel de schaal uit Michèls handen en loop de galerie in. Ik heb geen zin om over Carl te vertellen. Lodewijk denkt vast dat ik paranoia ben als ik vertel dat Carl de hele tijd naar me kijkt en steeds bij me komt staan zodra ik alleen ben.

En dan ruik ik het. Kaastoastjes! Gadsie! Daarom vroeg Michèl het aan Lodewijk... Ik probeer niet te kijken, anders word ik misselijk. Ik probeer ook niet door mijn neus te ademen, want het stinkt vreselijk.

Bijna iedereen pakt een toastje. De meeste mensen houden van kaas. Lodewijk ook. Hij heeft meestal kaas op zijn boterham. Van die smerige oude stinkkaas.

'Slaap je nog?'
Is dit mama?
'Sannie, slaap je nog?"
Ik knipper met mijn ogen en zie een foto van een motor
in de woestijn. Ik ben bij Lodewijk.
Mama was helemaal vergeten dat ze na de opening nog
wat zouden gaan drinken in de stad. Om te vieren dat ze
naar New York gaat.
Natuurlijk kan Sannie bij ons slapen, zei Karin direct.
Dus daar lig ik nu. Naast Lodewijk, op een matras op de
grond. Zonder schone kleren, want dat was mama na-
tuurlijk ook vergeten.
'Heb jij misschien een onderbroek voor me?' vraag ik.
Lodewijk rommelt in zijn kast en gooit iets naar me toe.
'Neem deze maar.'
Een jongensonderbroek. Rood met wit gestreept. Nou ja,
dat moet dan maar. Ik wurm mijn onderbroek naar be-
neden en trek 'm aan.
Lodewijk grinnikt.
Ik kijk naar beneden. Zonder iets achter de gulp is het net
een leeggelopen ballonnetje.
'Nog meer nodig? T-shirt, broek, sokken?' vraagt Lode-
wijk.

Daar heb ik dus niet aan gedacht. Op woensdag hebben we altijd gym. Ik heb niets bij me.

'Dan ga je maar op blote voeten en in je onderbroek,' zegt juf Martina als ze de ballen de zaal in stuitert.

In Lodewijks onderbroek? Never nooit niet.

'Waar wacht je op?' vraagt ze. Haar gezicht is net zo strak als haar glimmende blauwe trainingspak.

'Ik voel me niet zo lekker,' zeg ik zo zielig mogelijk.

'Dat gaat wel over. Kleed je om. We gaan zo beginnen.'

Kleed je úit, bedoelt ze.

Als ik terug slof naar de kleedkamer bots ik bijna tegen Brit en Maartje op. Ze rennen lachend weg, hun lange haren wapperen over hun rug.

Had mama niet kunnen bedenken dat ik een schone onderbroek en gymspullen nodig had? Daar moeten moeders toch aan denken? Nu zit ik met een megaprobleem. Als ik mijn spijkerbroek aanhoud, stuurt juf Martina me terug. Dat deed ze vorige week bij Kim ook. Als ik in mijn onderbroek ga, Lodewijks onderbroek dus, sta ik waanzinnig voor paal. Dan kan ik het echt schudden in groep 8.

Meester Peter kijkt verbaasd op als ik de klas binnenkom. 'Heb jij geen gymles?'

'Ik voel me niet zo lekker,' zeg ik. 'Mag ik hier blijven?'
'Als juf Martina het goed vindt, vind ik het ook goed. Ga
maar lezen.' Hij gaat verder met nakijken.

De bel. Ik moet naar huis, voordat Carl achter me aan
komt. Maar vlak voor ik de klas uit wil lopen, pakt mees-
ter Peter mijn schouder vast. 'Ga nog maar even zitten,
Sannie.'
Iedereen rent me voorbij als ik terug loop. Ik zucht. Hij
weet het.
'Ik begreep van juf Martina dat ze je miste met gym,' zegt
meester Peter als de deur dicht is.
'O,' zeg ik zo onschuldig mogelijk.
'Had ze gezegd dat je naar de klas mocht?'
Ik haal mijn schouders op.
'Juf Martina komt zo. Dan vragen we het aan haar.'
Ze kan de pot op. Ik ga echt niet zeggen waarom ik niet
wilde gymmen.
Meester Peter staat met zijn armen over elkaar uit het
raam te kijken. Hij zegt niets. Pas als de deur eindelijk
opengaat, draait hij zich om.
Juf Martina lacht naar hem, maar als ze mij ziet, verstrakt
haar gezicht. Haar ogen staan boos. 'Dat je je gymkleren
vergeet is tot daar aan toe, Lisanne,' zegt ze streng. 'Maar
zomaar de kleedkamer uitlopen... Had ik gezegd dat je
weg mocht?'

Ik schud mijn hoofd. Zo zacht dat het nauwelijks zicht-baar is.

'En toch ben je weggegaan.'

Ik knik.

Dan kijkt ze naar meester Peter. 'Dacht jij dat ik het goed vond?'

'Nu ik erover nadenk...,' zegt hij aarzelend. 'Ik heb het niet eens aan Sannie gevraagd, dus misschien is het wel mijn schuld.'

Hij probeert me te helpen. Echt tof.

'Ze is zelf naar de klas gegaan, dus dat is onzin,' zegt juf Martina snel. 'Maar je was niet lekker, zei je. Ben je soms...'

Als ik knik, legt ze haar hand op mijn arm. Haar gezicht wordt zacht. Ze trapt erin. Ze vindt me zielig. Als ik maar geen boei krijg.

'De eerste keer?' vraagt ze.

Ik knik weer.

'Je had het best tegen me kunnen zeggen, hoor.' Haar stem klinkt bijna lief. 'In het begin kun je je daar behoorlijk rot van voelen.'

Meester Peter stopt een stapel schriften in zijn tas. 'Gelukkig,' zucht hij. 'Sannie en ik hoeven dus geen tien rondjes om de school te rennen...' Hij knipoogt naar me.

'Ga maar gauw,' zegt ze. 'Neem je de volgende keer een briefje mee van je moeder?'

Ik knik. Mooi niet dus. Ik vergeet mijn gymkleren echt nóóit meer.

Voor ik de klas uit loop, pakt juf Martina mijn schouder vast. 'Je hoeft je er echt niet voor te schamen hoor,' zegt ze zacht.

Kun je al ongesteld worden als je tien bent? Of moet je eerst borsten hebben? Ik ben nog hartstikke plat. Hoe vaak bloed je eigenlijk? Ik moet toch eens op internet opzoeken hoe dat zit.

Het schoolplein is leeg. Lodewijk denkt vast dat ik weer niet op hem heb gewacht. Carl is er gelukkig ook niet meer.

Karin doet open. 'Lodewijk is bij Edith,' zegt ze.

Edith? Zit er een nieuw meisje in groep 7?

'Voor rekenbijles,' zegt Karin.

Bijles? Waarom heeft hij daar niets over gezegd?

Als ik weg wil lopen, houdt Karin me tegen. 'Is Isabel druk?'

Ik knik. Mama zit als een bezetene te werken voor New York. Ga maar naar Lodewijk, zei ze, aan mij heb je niets.

'Ruik je m'n chocoladetaart?' vraagt Karin. 'Stukje proeven?'

Ik zou wel gek zijn als ik nee zei. De geur van cacao waait me tegemoet uit de keuken.

'Spannend dat je moeder naar New York gaat, hè,' zegt ze

als ze een stukje voor me afsnijdt.

Begint zij ook al... Waarom is dat spannend voor mij? 'Misschien wordt ze wel wereldberoemd. Maar je zult haar ook wel missen, denk ik. Tien dagen weg...' Tien dagen?!? Niet huilen, niet waar Karin bij is. Zij en mama vertellen elkaar altijd alles. En ik wil niet dat ze denkt dat ik niet blij voor haar ben. Hapje voor hapje verdwijnt de chocoladetaart in mijn mond, maar ik proef alleen het zout van mijn ingeslikte tranen. Ik dacht dat ze een week weg zou blijven. Dat vind ik al lang. Maar tien dagen! Zo lang is ze nog nooit weggeweest.

7

Nu mag Luca meedoen. Maartje en Brit doen alsof ik niet meer besta. Alleen Aïsha kijkt af en toe mijn kant op, maar ze zegt niets. Ze mag vast niet tegen me praten. Stom dat ik dacht dat ik nooit meer mee mocht doen als ik gauw af was. Het is juist precies andersom. Brit kan niet tegen haar verlies. Nu ben ik weer alleen in de pauze. Ja hoor, daar komt Carl al. Waarom voetbalt hij niet mee met de jongens? Dan laat hij me tenminste met rust. Net als ik bedenk hoe ik van hem af moet komen, roept David hem. Of hij wil knikkeren. Carl loopt terug. Mooi, als hij knikkert, heeft hij geen tijd om naar me te staren.

Alle landen hebben een andere kleur. Het zijn er echt superveel. Moeten we die allemaal uit ons hoofd leren? Meester Peter wijst als eerste Europa aan. Die landen ken ik al. Daaronder ligt Afrika, links Noord- en Zuid-Amerika, rechts Azië, Australië en helemaal onderaan Antarctica, de Zuidpool.
'Dat zijn de zeven werelddelen,' zegt meester Peter. 'Of eigenlijk heten ze continenten. Weet iemand hoeveel landen er zijn?'
Vast heel veel. Driehonderd?

'Tweehonderd,' roept Lennart.

'Bijna goed,' zegt meester Peter. 'Er zijn 195 internationaal erkende onafhankelijke landen. En wat zijn de vijf grootste?'

Iedereen roept door elkaar.

'Rusland!'

'China!'

'Amerika!'

'Rusland is het allergrootste land,' zegt meester Peter. 'China en de Verenigde Staten horen wel tot de top 5, maar niet bij de grootste drie. Er zijn dus nog twee grotere landen.'

'Australië!' roept Carl.

Dat zegt hij natuurlijk omdat hij er geweest is.

'Australië is inderdaad heel groot. Het staat op de zesde plaats,' zegt meester Peter.

'Canada?' vraagt Finn aarzelend. Zijn oma en opa wonen daar.

Meester Peter knikt. 'Heel goed. Canada staat op nummer twee, de Verenigde Staten op drie en China op vier. Nu zoek ik nummer vijf nog.'

Ik trek mijn aardrijkskundeboek uit mijn kastje om de wereldkaart op te zoeken en dan valt er een papiertje op mijn schoot. Het is piepklein opgevouwen. Mijn vingers trillen als ik het openmaak. Van wie kan dat zijn?

'Weet jij het, Sannie?' vraagt meester Peter.

Het bloed schiet naar mijn wangen als ik het papiertje in mijn broekzak duw.

Waarom vraagt hij het nu net aan mij?

'Natuurlijk weet Sannie het,' fluistert Brit achter me.

'Sannie weet altijd alles,' fluistert Maartje terug.

'India?' zeg ik aarzelend. Het is het enige grote land dat ik kan bedenken.

Meester Peter schudt zijn hoofd. 'Let je wel op, Sannie? Dat zei Emma net al.'

Brit en Maartje lachen.

Dom! Ik heb Emma helemaal niet gehoord, maar dat ze me uitlachen hoor ik des te harder. Laat ze maar een ander draaiorgel zoeken, ik hoef geen nepvriendinnen.

'India staat op nummer zeven,' zegt meester Peter, 'dus groot is het wel. Zal ik het dan maar zeggen?' Hij wijst een groot land aan in Zuid-Amerika. 'Brazilië!'

Ik vouw het papiertje nog een keer open onder mijn kastje. Het staat er echt.

IK WEET WAAR
IK JE HEB GEZIEN.
IN FRANKRIJK.
C.

Thuis ga ik het in duizend stukjes scheuren of beter, ik steek het in de fik. Half Nederland gaat in de zomervakantie naar Frankrijk. Maar ik heb hém niet gezien, dus dat bewijst niets. Wat wil hij van me? Die C hoeft hij er trouwens echt niet bij te zetten, ik begrijp heus wel dat het briefje van Carl komt.

Meester Peter klapt in zijn handen. 'Pak allemaal je tekenspullen. Ik ben vandaag model.' Hij zet zijn stoel voor de klas en gaat zitten. 'En ik houd mijn kleren aan.'

Meester Peter in zijn blootje, liever niet. Iedereen begint te lachen.

Eerst zijn haar. Een beetje grijs, een beetje zwart, van voren wat langer. Een baardje, met ook veel grijze haren. 'Alleen uw gezicht?' vraagt Lennart. 'Of helemaal?'

'Jullie mogen kiezen.' Hij kijkt even naar zijn gympen. 'Ten voeten uit of alleen mijn hoofd.'

Ik ga verder met zijn gezicht. Hij heeft een moedervlekje op zijn wang en een litteken naast z'n neus. Zijn ene oog is groter dan zijn andere. Als je goed kijkt zie je steeds meer.

Mama kan ook goed natekenen, dat heeft ze geleerd op de academie, zo noemt ze haar school altijd. Nu schildert ze alleen nog abstract. Maar ik ben blij dat ik het geleerd heb, zegt ze altijd, want je moet wel de techniek beheersen.

Vanaf zondag ben ik alleen met papa. Ik hoop dat hij niet

vergeet voor me te zorgen. Hij is zo verstrooid. Ik moet in ieder geval startklaar zitten als de bel gaat. Ik móet weg zijn voor Carl achter me aan kan komen om te vragen of ik zijn briefje heb gezien.

8

Het gesnurk van papa is op de gang te horen. Ik kijk om de deur van hun slaapkamer. Mama's kussen is leeg. Ik ren de trap af, misschien kunnen we samen ontbijten. Maar het is doodstil. Ze zit natuurlijk op zolder. Ik laat de ketel vollopen, zet het gas aan en pak een paar boterhammen uit de vriezer.

En dan voel ik ineens twee warme handen voor mijn ogen. Mama!

'Ik ben al vanaf 6 uur op,' zegt ze. 'Nu heb ik honger.'

Zal ik doen of ik niet lekker ben? Juf Martina geloofde me ook. Maar mama ziet het altijd meteen als ik lieg. En nu is ze wel gezellig beneden, maar ze moet natuurlijk nog van alles doen. Ze staat niet voor niets zo vroeg op.

Lodewijk klopt op het raam. Is het al zo laat?

Bij de voordeur zwaait ze me uit. Ik zwaai terug tot we de hoek om gaan. Vandaag is de laatste keer dat het nog kan. Als ik maandag naar school ga, zit ze al in New York. Dan is ze er tien dagen niet. Niet als ik opsta en niet als ik thuiskom.

'Gister was je alweer weg,' zegt Lodewijk. 'Waarom wacht je nooit meer op me?'

Ik kan hem niet vertellen van Carl, maar ik wil ook niet

dat hij denkt dat ik geen zin heb om met hem terug te lopen. Behalve een paar flauwe smoezen kan ik niets bedenken. Dus zeg ik maar dat ik haast had. Dat is nog waar ook. Gelukkig vraagt hij niet verder.

Op vrijdagmiddag hebben we altijd crea-les, dan doen we iets met onze handen. Juf Ietje wil dat we in tweetallen werken. 'Maar niet met je buurman of buurvrouw of met je beste vriendin.' Ze pakt de klassenlijst. 'Lennart met Emma. Teun met Lotte. Sannie met Carl. Max met Maartje...'
Met Carl... Sinds dat stomme briefje van gisteren probeer ik hem nog meer te ontlopen dan ik al deed.
'Ik weet alweer waar ik je gezien heb,' zegt hij als hij naast me komt zitten. 'Het was in de droom.'
Ik kijk hem spottend aan. Zie je wel, hij heeft het gedroomd. Wat een sukkel.
'Ik bedoel de D... R... O... M... E...,' spelt hij langzaam. 'Die streek waar overal lavendel groeit. De Drôme.'
'Nooit van gehoord,' zeg ik gauw. Ik onthoud echt niet in welke plaats of streek we zijn. Er waren wel overal paarse velden in de buurt van de camping en het rook er naar lavendel.
Ik loop naar de materialenkast die achter in de klas staat en pak een grote schaar en een vel oranje papier.
Als ik begin te knippen, zegt Carl: 'Volgens mij was je op

een camping, iets met kasteel.' Hij legt zijn vinger tegen zijn wang en doet alsof hij diep nadenkt. Hij is echt raar. 'Le Château! Dat was het,' zegt hij. 'Camping Le Château. In Souspierre.'

Was hij op dezelfde camping als wij?!? Ik hoop dat hij niet hoort hoe mijn hart tegen mijn borstkas bonkt. Waarom heb ik hem dan niet gezien? Maar als hij mij gezien heeft, dan... Weet hij het?

Ik knip langzaam door. Niets laten merken, rustig blijven.

'Nooit geweest,' zeg ik. 'Ik heb vast een dubbelganger.'

'Waarom ben jij nog niet begonnen, Carl?' vraagt juf Ietje. 'Als Sannie knipt, kun jij toch vast verf en hout pakken?'

Carl schuift zijn stoel naar achteren en slentert naar de materialenkast. Ze kwam precies op tijd.

Ik verveelde me al drie dagen. Waar ik ook keek, ik zag alleen baby's, peuters of kleuters. Er was echt helemaal niemand om mee te spelen. Hadden papa en mama geen camping kunnen kiezen met een zwembad en een grote glijbaan in plaats van dit minipoeltje vol met algen? Vind je het gek dat er alleen maar mensen met kleine kinderen zaten! Als we niet weggingen voor boodschappen of om een dorpje te bezoeken of een kasteel, zat ik voor de tent te lezen, net als papa en mama. Ik voelde me net een bejaarde. Als ik zo doorging, had ik al mijn boeken al uit voor de eerste week om was. De enige meisjes met wie ik misschien zou kunnen spelen, zaten een paar tenten verderop. Een Duitse tweeling met lange blonde vlechten die vreselijk op elkaar leek en alles samen deed. Toen ik een keer bij de toiletten naar ze lachte, keken ze me eerst raar aan en toen begonnen ze vreselijk te giechelen. Ik had er gelijk spijt van dat ik aardig probeerde te doen. Die twee tutjes hadden helemaal geen interesse in nog iemand erbij.

De vierde ochtend stuurde papa me weg. Ga maar een stukje lopen, zei hij. Misschien kom je wel iemand tegen. Je kunt toch niet twee weken bij de tent blijven hangen? Hij wilde duidelijk even alleen zijn met mama. Ik nam me voor om zeker twee uur weg te blijven. Misschien werden ze dan wel ongerust. Ik liep voorbij het natuurwinkeltje, waar ze alleen natuurproducten verkochten want dit was een echte natuurcamping, en verder langs de speeltuin. Ik was nog nooit zo ver van onze tent geweest. In de verte lag een groot grasveld waar een paar jongens voetbalden. Ik kon niet zien of het nog bij de camping hoorde, maar ik liep er automatisch naartoe. Als Lodewijk hier was geweest, hadden we een balletje kunnen trappen. Maar kijken was ook goed. Aan de zijkant van het veld liet ik me zakken. Hier hield ik het wel een tijdje uit.

Ik vergeet nooit een gezicht, zei Carl...
Ik had deze zomer korter haar. Daarom herkende hij me niet meteen. Hij mag er nooit achter komen dat ík het

was. Ik moet volhouden dat hij me verwart met iemand anders.

9

Ze zijn door de douane, op weg naar de winkeltjes en de vertrekhal. In de verte zwaaien ze nog één keer, ze worden steeds waziger. Ik veeg met mijn mouw een paar tranen weg. Papa trekt me mee. Michèl woelt door mijn haar. 'Kom op, San. Voor je het weet zijn ze weer terug.'

Papa pakt mijn hand en samen met Michèl lopen we naar de parkeergarage. Ze praten en lachen. Ze doen alsof er niets aan de hand is, alsof ze elk moment weer terug kunnen komen. Die tien dagen zijn echt niet zomaar voorbij. Tien dagen is hartstikke lang... Mama is nooit weg.

Het is een uur rijden. Omdat ik zo zeur, en omdat hij me misschien wel een beetje zielig vindt, mag de radio aan. Ik zoek naar popmuziek.

Papa luistert in de auto altijd naar klassieke muziek, het liefst met veel violen. Omdat hij zelf viool speelt natuurlijk, in een groot orkest.

Toen ik vier was, gaf papa me vioolles, maar ik kon er niets van. Ik vond het vreselijk, die viool onder mijn kin. Na een tijdje gaf papa het gelukkig op. Hij vroeg wat ik dan wilde, want ik móest een instrument kiezen. Gitaar, zei ik. Die kun je tenminste op schoot houden en dan kun je later in een band spelen. Ik heb al vier jaar les op de muziekschool. Lo heeft pianoles. Die moest ook een instrument leren. Als je vader in een orkest speelt, Koos is klarinettist, ontkom je daar niet aan.

Omi staat al op de uitkijk. Ze zwaait achter het raam.

Bij de voordeur tilt ze mijn kin op. 'Laat je het groeien? Goed zo, meissie.' Ze drukt een kus op mijn hoofd. 'Je krijgt al een lekkere bos haar. Kom, jullie hebben vast dorst.'

In de keuken laat ze de kraan lopen en kijkt lachend toe hoe papa en ik het glas water in één keer opdrinken.

'Veel beter dan dat korte haar,' zegt ze als ze mijn lege glas aanpakt en vult met gele priklimonade. 'Vind je ook niet, Arie?'

Papa haalt zijn schouders op. 'Ik vond kort ook mooi.'

Omi knijpt in mijn wang. 'Je hebt een mooi koppie, alles staat je. Maar je was een halve jongen. Nu lijk je gelukkig wat meer op een meisje.' Ze schenkt de koffie in en houdt papa de koektrommel voor. 'Dus Isabel blijft twee weken weg? Je zult het druk krijgen, jongen.' Ze knipoogt naar me.

Dat denk ik ook. Papa is helemaal niet gewend om voor me te zorgen. Als hij met het orkest moet spelen, is mama altijd thuis.

'Gelukkig hebben we fijne buren,' zegt papa. Het koekje kraakt tussen zijn tanden.

'Karin en Koos? Ja, daar bof je mee. Die Lodewijk is ook

zo'n schat van een jongen. Ik verheug me erop ze weer te
zien.'

Komt omi binnenkort langs? Dat is fijn!

'Heeft je vader niets gezegd?' vraagt omi als ze me verbaasd ziet kijken. 'Haha, hij gaat het helemaal niet druk
krijgen. Ik kom mee!'

Papa lacht. 'Een idee van je moeder. Verrassing!'

Omi gaat mee naar huis... Ik ben ineens zo blij. Mama
dacht dus toch niet alleen aan New York. Ze wist dat het
geen goed idee was om papa en mij alleen te laten. Nu kan
hij gewoon uitslapen en als papa 's avonds weg is, dan is
omi thuis bij mij.

Als we gaan, haalt ze gauw een paar plastic bakjes uit de
vriezer. Op elk bakje zit een etiket. *Macaroni, kip.soep,
ballen* staat er met grote krulletters op.

Ze schrijft altijd ballen omdat gehaktballen niet op het
etiket past. Ik ken niemand die ze zo lekker maakt als omi.
Als ze bukt om nog een doosje te pakken, zegt papa: 'Zo
is het wel genoeg, moesje. We zullen echt niet verhonge-
ren hoor. Bij ons zijn ook winkels.'

Na het eten pakt papa zijn viool. Hij haalt zijn strijkstok
een paar keer over de snaren, draait aan wat knoppen (het
zijn geen knoppen zegt papa altijd, het zijn stemsleutels)
en dan begint hij te spelen. Zo mooi dat het net lijkt of er
een cd op staat.

Ik leun tegen omi aan en doe mijn ogen dicht. Dan kan ik beter luisteren. Omi ruikt alsof ze uren in de keuken heeft gestaan. Mama ruikt naar olieverf vermengd met parfum.

Zou ze al in New York zijn? Ik tel op mijn vingers. Ze zit nu vijf uur in het vliegtuig, dan zijn ze er bijna.

10

Een hand aait over mijn haar. 'Opstaan, meissie,' fluistert omi.

Voor de badkamerspiegel droog ik me af en schud met mijn haar. Dat kan gelukkig al een beetje. Omi vindt lang dus leuker. Gelukkig groeit het snel. Hoe minder ik lijk op twee maanden geleden, hoe beter.

Frankrijk is zo groot, waarom was Carl uitgerekend op dezelfde camping? Wat weet hij? Waar heeft hij me gezien?

Ik moet alles ontkennen. Dubbelgangers bestaan. Waarom zou ík er dan geen kunnen hebben?

Mijn broodtrommeltje staat naast mijn bord, er ligt een appel naast.

'Maakte je vroeger ook altijd ontbijt voor papa?' vraag ik.

'Natuurlijk, lieverd. Maar toen kwam hij ook al zo slecht zijn bed uit. Meestal rende hij met een boterham in zijn hand naar school en vergat zijn brood voor tussen de middag. Hoe vaak ik dat niet naar school heb gebracht...' Omi lacht. 'Misschien dat ik straks zijn ontbijt even boven breng. Dat vindt hij zo fijn.'

Omi legt je vader veel te veel in de watten, zegt mama altijd. Daarom is hij zo lui. Maar het was háár idee dat ze kwam. Mama weet dat ze niet alleen mij verwent.

'Bladzijde 14. De kaart van Europa,' zegt meester Peter. 'Ik wil dat je vijf eilanden opschrijft, vijf grote rivieren, vijf gebergtes en vijf zeeën die in Europa liggen of aan Europa grenzen.'

'Mogen we samenwerken, meester?' vraagt Brit.

'Als ik maar geen lawaai hoor,' zegt hij zonder op te kijken van de computer.

Stoelen schuiven zachtjes door de klas.

Ik doe het liever alleen. Dat gaat veel sneller. Ik sla de atlas open bij Europa. Engeland en Ierland zijn eilanden. Mallorca, daar is Lodewijk een keer geweest, iets verder naar het oosten ligt Corsica, en daaronder is nog een eiland, Sardinië, dat zijn er al vijf. Als ik de namen opschrijf, voel ik dat er iemand naast me staat.

'Samen?' Zonder op antwoord te wachten schuift Carl zijn stoel naast me. Ik kijk om me heen. Ik ben de enige die nog alleen zit, ik kan moeilijk nee zeggen.

'Corsica,' zegt Carl, 'daar is Napoleon geboren.'

Dat wist ik ook wel. 'Mallorca,' zeg ik, 'daar was ik deze zomer op vakantie.' Ik flap het er zo uit. Liegbeest.

Carl zegt niets, hij tuurt op de kaart. 'Vijf grote rivieren. De Donau, de Elbe...'

'De Loire, de Rhône, de Dordogne,' zeg ik snel. Ik heb hem echt niet nodig om er vijf te bedenken.

Carl kijkt me peinzend aan. 'Toevallig dat je allemaal

Franse rivieren noemt,' zegt hij. 'Jullie gaan natuurlijk elk jaar naar Frankrijk.'

Oeps, dom van me. Ik schrijf snel de rivieren onder elkaar.

'Mij houd je niet voor de gek hoor,' fluistert Carl. 'Ik heb je gezien. Op het voetbalveld.'

Ik haal mijn schouders op. 'Ik weet echt niet waar je het over hebt,' zeg ik zo onverschillig mogelijk. Ondertussen ratelen mijn hersens op volle toeren. Ik herinner me nog wel een paar gezichten. Maar Carl? Deed hij ook mee? Waarom heb ik hem dan niet gezien? Er was daar niemand die Nederlands sprak. Of was er iemand bij die deed alsof?

Ze speelden best goed. Vooral een blonde jongen die op David Beckham leek. Na een paar minuten hoorde ik iemand vanaf het voetbalveld roepen: 'Hey you, want to play?'

Ik keek achter me. Er was niemand behalve ik. Bedoelden ze mij?!

'Yes, you,' riep een lange jongen met rood haar.

Ik sprong op en rende naar ze toe. De lange jongen wees naar zijn team. Ze hadden allemaal een blote bast. Ik trok mijn T-shirt over mijn hoofd en gooide het aan de kant. Nu was het vier tegen vier. Het was heerlijk om te rennen nadat ik me drie dagen verveeld had voor de tent. Toen ik de gelijkmaker scoorde, gaven ze me alle drie een high five.

'You play much better than the other guy,' zei de lange jongen. 'I'm Neil. What's your name?'

Ze hadden me nooit geroepen als ze wisten dat ik een meisje was.

'Sam,' zei ik.

Ze keken me raar aan. Ik had toch niets verkeerd gezegd?

'Oh, you mean Sèèèm,' zei David Beckham lachend, met zo'n lange è en een m die je nauwelijks hoorde. 'I'm Gary.'

Vanaf dat moment was ik Sèm, want zo spreken ze Sam uit in het Engels.

'Gebergtes,' zegt Carl. 'De Alpen, de Pyreneeën... Let je nog op? Zal ik anders schrijven?'

Ik schrijf snel Gebergtes, trek er een streep onder en schrijf Alpen, Pyreneeën eronder.

Carl tuurt weer in de atlas. 'Apemijnen,' zegt hij.

'Apennijnen bedoel je,' zeg ik.

'Even testen,' zegt Carl als hij zijn bril op zijn neus duwt.

Denkt hij echt dat ik niet weet hoe je dat spelt? Ik ruk de atlas onder zijn arm vandaan. In Oost-Europa zijn ook bergen.

'De Balkan, de Karpaten,' zeg ik terwijl ik schrijf. 'En nu vijf zeeën. De Noordzee, de Middellandse Zee, de Zwarte Zee ...'

'De Witte Zee,' zegt Carl met zijn vinger bij het noordelijkste puntje van Europa.

Die wordt vast zo genoemd omdat die zo dichtbij de Noordpool ligt en er een dikke laag ijs op ligt. Maar de Zwarte Zee is toch gewoon blauw?

'De Oostzee is nummer vijf.' Carl houdt zijn vinger onder Zweden en Finland. 'Klaar!'

Als ik de zeeën heb opgeschreven, kijk ik om me heen. Iedereen zit nog gebogen over de atlas en is druk aan het schrijven.

'Ik heb een foto waar jij op staat,' fluistert Carl. 'Zal ik die morgen meenemen?'

Heeft hij een foto gemaakt? Ik heb nooit iemand gezien in de buurt van het voetbalveld. Of was het in het bos? Mijn hart stuitert tegen mijn borstkas.

'Doe wat je niet laten kunt,' zeg ik zo rustig als ik kan. 'Ik wil mijn dubbelganger wel eens zien.'

Lodewijk staat al op me te wachten. Nu hoef ik niet naar huis te rennen. Met Lo ben ik veilig.

'Zal ik met je mee?' vraagt hij.

'Omi vroeg al of je kwam,' zeg ik.

Als we op de Willem de Zwijgerlaan lopen, merk ik pas dat Carl achter ons loopt. Lodewijk ziet het ook.

'Wie is die gast?' fluistert hij. 'Is hij nieuw op school?'

Ik knik. Waarom laat Carl me niet met rust?

'Is ie verliefd op je of zo?' vraagt Lodewijk.

Ik kijk hem boos aan. 'Hoezo?'

'Hij keek net ook al naar je en nu loopt hij achter je aan. Waarom doet hij dat anders?'

Omdat hij denkt dat hij me gezien heeft op Camping Le Château, maar dat zeg ik natuurlijk niet. Hoe minder mensen weten wat ik daar gedaan heb, hoe beter. Want als Lodewijk het weet, dan weet Karin het ook en dan vertelt zij het weer aan mama en mama aan papa en papa aan omi. Dat mag niet gebeuren. Nooit. Zo lang ik alles ontken, hoeft niemand iets te weten.

'Die jongen spoort niet,' zeg ik.

Lodewijk kijkt achterom. 'Hij gaat de Louise de Coligny-straat in,' zegt hij. 'Misschien woont hij hier gewoon.'

Toen ik twee was, leerde papa me de namen van de straten in onze buurt. Ik kon de vier vrouwen van Willem de Zwijger achter elkaar opdreunen: Anna van Buren, Anna van Saksen, Charlotte de Bourbon (ik dacht altijd dat het de boerbon was), Louise de Coligny (loe wie ze de kol in jie, daar begreep ik helemaal niets van). Iedereen moest altijd vreselijk lachen als ik die namen zo snel aan elkaar reeg. Ze lagen al dubbel als ik bij Anna van Saksen, zijn tweede vrouw, naar mezelf wees. In die straat wonen wij namelijk.

Omi pakt Lodewijks gezicht met beide handen vast en geeft een dikke smakzoen op zijn wang.
'Weet jij waarom de Zwarte Zee Zwarte Zee heet?' vraag ik. 'Hij is toch niet zwart?'
'Daar heb ik nog nooit over nagedacht,' zegt ze. 'Maar dat kun je tegenwoordig toch zo opgoochelen op de computer?'
Lodewijk en ik schieten in de lach. Omi weet niets van computers, maar ze leest wel veel.
'Het is Google, geen goochel,' zegt Lodewijk. Hij begint weer te lachen.
'Ik vind het wel gegoochel hoor,' zegt omi. 'Als wij vroeger iets wilden weten, zochten we het op in de bibliotheek in een van de grote encyclopedieën. Jullie kunnen dag en nacht achter de computer kruipen en hebben binnen

twee seconde antwoord. Begrijp jij hoe dat kan?'
'Zullen we het opgoochelen?' vraag ik.
'Laat maar,' zegt ze. 'Dat is allemaal veels te ingewikkeld voor mij.'
'Spelletje dubbelpatience, omi?' vraagt Lodewijk.
Ze knikt. 'Als Sannie het niet erg vindt.'
'Nee hoor!' Ik heb een hekel aan spelletjes. Maar omi en Lo doen niets liever, daarom zijn ze ook zo dol op elkaar. Ze zijn zo druk bezig met kaarten schudden en neerleggen dat ze niet eens merken dat ik naar boven ga. Ik pak papa's oude smartphone van mijn bureau die ik thuis mag gebruiken. Yes, een berichtje van mama!

> Lieve Sannie,
> Het is geweldig in New York. Heerlijk weer!
> Ik kijk mijn ogen uit. Vanuit onze hotelkamer zien we Central Park.
> Vandaag hebben we een afspraak met een galerie in Soho.
> Gaat het goed daar met omi en papa?
> Dikke kus mama 🩶

Ze heeft ook een selfie gestuurd met Benno voor het hotel. Ze lachen. Zij wel...
Als ik denk aan de foto die Carl morgen meeneemt, versteent mijn buik. Als hij ons achtervolgd heeft, dan heeft

hij misschien wel een foto gemaakt toen we... Stel dat hij die morgen laat zien, dan heb ik echt een probleem.

12

'Wat ben je stil,' zegt omi als ze haar theekopje neerzet.
Ik haal mijn schouders op.
'Je mist Lodewijk in groep 8. Of niet?'
Ik knik. Als je al je hele leven samen bent, is het raar om ineens niet meer met je beste vriend in de klas te zitten. Ik weet niet of ik wel vriendinnen krijg in groep 8. Ze hebben nooit meer gevraagd of ik mee wil doen met touwtjespringen.
Niet dat ik nog wil, ik hoef geen nepvriendinnen die me uitlachen. De enige die me ziet staan is Carl. Maar die is alleen in mij geïnteresseerd omdat hij denkt dat hij me heeft gezien.
Ik neem een muizenbeet van mijn cracker. Heeft Carl echt een foto waar ik op sta? Of bluft hij?
'Kom, meissie,' zegt omi. 'Die moet je opeten hoor. Je wilde ook al geen boterham.'
Het enige nadeel van omi is dat ze altijd oplet of ik wel genoeg eet. Ik krijg 'm echt niet door mijn keel. Als ik aan school denk, word ik al misselijk.
De keukendeur zwaait open. Als omi er is, komt Lo 's ochtends altijd achterom. Hij weet dat ze hem altijd nog iets lekkers toestopt.

Als ze bij het aanrecht een sinaasappel doormidden snijdt, schuif ik gauw mijn bord naar Lodewijk.
In twee happen is mijn cracker verdwenen. Mijn reddende engel...

Meester Peter gooit de aardrijkskundeschriften de klas in.
'Voor Lennart,' roept hij.
Hij zit bijna vooraan. Het schrift valt in één keer op zijn tafeltje.
'Voor Maartje.' Haar schrift vliegt door de klas. Voor ze het kan vangen, valt het op de grond.
'Sorry,' roept meester Peter. 'Sannie, deze is voor jou.'
Mijn schrift landt op Carls tafeltje.
'Jullie werken samen toch? Bijna goed dus,' zegt meester Peter. 'Als één van jullie zijn schrift heeft, ga je bij elkaar zitten.'
Hij gooit verder. 'Max, bukken, deze is voor Aïsha. Brit, opletten, daar komt de jouwe.'
Carl gooit het schrift op mijn tafeltje. Dan vist hij iets uit zijn borstzakje en schuift het naar me toe.
Hij is van veraf genomen en hartstikke onscherp. Carl heeft 'm vast gemaakt met zo'n wegwerpcameraatje.
'Dat ben jij.' Hij wijst op de foto. 'Met die afgeknipte spijkerbroek.'
Ik sta er zo klein op dat je nauwelijks kunt zien dat ik het

ben. Denkt hij echt dat hij met dit wazige kiekje kan bewijzen dat ik op Camping Le Château was?

Bijna ontsnapt er een diepe zucht, maar ik pers gelukkig net op tijd mijn lippen op elkaar. Het domste dat ik kan doen, is laten merken hoe opgelucht ik ben.

Eerst had ik de hele tent omgekeerd op zoek naar mijn rode short waar ik al drie dagen in voetbalde. Ik kon 'm nergens vinden. Had mama 'm meegenomen naar de wasserette? Ik had nog zo gezegd dat ik het short 's avonds zelf wilde wassen (zodat ik 'm de volgende ochtend weer aan kon trekken). Maar elke avond vergat ik het en nu was ze het blijkbaar zat. Wat moest ik aan? Mijn short met bloemetjes was uitgesloten, die was veel te strak en te meisjesachtig. Die rode short die nu rondjes draaide in een grote wasmachine in het dorp was echt super, die had lange pijpen en zat lekker wijd. Veel te wijd, vond mama, maar na lang zeuren kreeg ik hem toch.

Wat moest ik zonder mijn short? Een dag niet voetballen? Ik zou me rot vervelen. Bovendien zouden ze zich vast afvragen waar ik bleef, misschien kwamen ze me wel zoeken op de camping. Dat mocht helemáál niet!

Als ik een van mijn spijkerbroeken eens afknipte? Mijn oude zat té lekker, dat was zonde. Mama zou woest worden, maar ik had geen keus. Ik pakte de schaar uit het campingkeukentje en knipte met veel moeite door de stugge, nieuwe spijkerstof. De onderbenen vielen één voor één op het tentzeil. Ik schoof ze

gauw onder mijn matrasje, trok mijn nieuwe spijkershort aan,
rolde de gerafelde onderkant een stukje op, sjorde het kruis
naar beneden en rende naar het voetbalveld. Ze waren vast al
zonder mij begonnen.

Ik schuif de foto terug naar Carl. 'Dat is een jongen,' zeg
ik.

13

Zonder iets te zeggen stopt hij de foto weer in zijn borstzakje.

Heb ik hem aan het twijfelen gebracht? Is hij er toch niet helemaal zeker van dat ik het ben op de foto?

'Carl,' zegt meester Peter. 'Welke vijf rivieren hebben jullie opgeschreven?'

Hij slaat mijn schrift open. 'De Donau, de Elbe, de Loire, de Rhône, de Dordogne,' leest hij voor.

'Mooie grote rivieren,' zegt meester Peter. 'Twee uit Europa en drie uit hetzelfde land. Wie weet welk land ik bedoel?'

Bijna iedereen heeft zijn vinger omhoog. Meester Peter wijst Max aan.

'Frankrijk,' zegt hij.

'Natuurlijk,' zegt meester Peter. 'Een van de mooiste en grootste landen van Europa. Ik kom er graag. Ik ben een echte francofiel.' Hij is even stil. 'Dat is iemand die gek is op alles wat Frans is. Ik houd van de croissants, de baguettes, de lavendel, de dorpjes, de heerlijke wijn, de kastelen, Parijs...'

In gedachten staat hij nu vast op de Eiffeltoren.

'Wie is er wel eens in Frankrijk geweest?' vraagt hij.

Carl steekt als eerste zijn vinger in de lucht. Bijna de hele klas volgt. Ik ook. Ik moet wel.

'Dat dacht ik al. Frankrijk is een populair vakantieland. Allemaal gekampeerd zeker?'

Waarom zaagt hij zo door over Frankrijk? Als je francofiel bent, praat je er misschien het liefst de hele dag over. Ik hoop niet dat hij wil weten op welke camping we waren. Straks vraagt hij nog of iemand Camping Le Château kent...

'Of is er iemand met een huisje?' Meester Peter kijkt hoopvol de klas in.

Maartje en Lennart steken hun vinger op.

'Mijn tante heeft een huisje in de Dordogne,' zegt Maartje.

'Mooi,' zegt meester Peter. 'En Lennart?'

'Wij hebben een oude afgelegen boerderij, een bouwval. Mijn ouders zijn al drie zomers aan het klussen.' Hij zucht alsof hij net de hele dag heeft meegewerkt. 'Saai...'

Iedereen lacht.

'Brit en Maartje,' zegt meester Peter. 'Welke eilanden hebben jullie opgeschreven?'

'Ibiza, Mallorca, Menorca, Malta en Sicilië,' leest Brit voor.

Ze hebben echt alleen rond de Middellandse zee gekeken.

'Zijn jullie ook op een van die eilanden geweest?' vraagt meester Peter.

Maartje knikt. 'Ik op Malta, Brit op Menorca.'

Ik zie ze al voor me, in hun bikini met een grote zonnebril op, de hele dag bakken aan het strand.

Carl kijkt uit het raam. Hij heeft niets meer tegen me gezegd. Ik hoop zo dat hij denkt dat hij zich vergist heeft. Dat hij stopt met stalken. Dat ik weer rustig kan ademhalen.

Als Aïsha de vijf gebergtes heeft opgelezen en Lennart de zeeën, moet iedereen weer op zijn eigen plaats gaan zitten. Carl schuift langzaam zijn stoel naar achteren en dan voel ik ineens zijn warme adem in mijn nek. Ik kan er niet tegen als mensen zo dichtbij komen. Alle haartjes op mijn rug en armen springen in één keer recht overeind. Maar ik kan geen kant op, zijn mond zit al bij mijn oor.

'Dat kun je nou wel zeggen, Sèm,' fluistert hij, 'maar ik weet iets van jou.'

Terwijl hij zijn stoel oppakt en rustig naar zijn plaats loopt, ontploft er een bom achter mijn ribben. Mijn hart springt zowat mijn keel uit. Dit is echt eng. Hij spreekt Sèm exact hetzelfde uit als Gary en de anderen. Sèèèm, met zo'n lange è en een lichte m aan het eind. Hij heeft me dus niet alleen bespied, hij heeft ons ook horen praten.

Wat wil hij van me? Waarom is hij niet lekker in Afrika of Australië gebleven met zijn ouders? Waarom moest hij uitgerekend bij mij op school komen? Als ik niet zo nodig naar groep 8 had gemoeten van de directeur, was ik hem nooit opgevallen.

Er valt een zonnestraal op omi's witte krullen. Ze wilde

zo graag een keer naar school komen, net als vroeger en hoewel ik het eerst een beetje kinderachtig vond, ben ik zo blij dat ze daar staat tussen de bakfietsmoeders. Ik sla mijn armen om haar middel. Ze is veel zachter dan mama, bij haar voel ik altijd haar heupen. Ik doe mijn ogen dicht en blijf even tegen haar aan staan. Omi aait over mijn haar. 'Je mist je moeder, hè?'

Ik knik, maar het is niet waar. Ik heb helemaal geen tijd om aan mama te denken. Mijn hoofd zit zo vol met hoe ik kan zorgen dat Carl me gelooft, dat er bijna geen plaats is om mama te missen. Maar ik moet haar vandaag wel een berichtje sturen, anders denkt ze dat er iets is.

'Kijk, daar is Lo,' hoor ik omi zeggen. 'Kom, ik had jullie een ijsje beloofd.'

Ik laat omi los en draai me om. Lodewijk grijnst van oor tot oor. Was ik maar gewoon blij zoals hij. Maar na vanmiddag ben ik er niet meer zo zeker van dat ik ooit nog kan lachen.

Als we naar het centrum lopen voor een softijsje, kijk ik nog een keer achterom. Ik zie Carl nergens.

'Heb je je mobiel bij je?' vraag ik aan omi als ik de laatste hap van mijn hoorntje neem. 'Mag ik mama een sms'je sturen?'

Ze rommelt in haar tas en haalt haar mobiel omhoog. 'Doe haar maar veel groeten van mij.'

Ze heeft een ouderwetse met echte toetsjes. Er staan maar

acht namen in haar contactenlijst. Ik scroll naar Isabel.

Lieve mama, het gaat goed hier met omi, papa en
mij. Heel veel plezier nog daar! xxxxxxx Sannie.
O ja, en veel groeten van omi. We hebben net een
ijsje gegeten. Met Lo

Ik druk op verzenden. Het is nu ochtend in New York.
Raar, wij zijn al de hele dag naar school geweest, mama
zit misschien net te ontbijten.

14

'Het is zo'n mooi weer vandaag,' zegt juf Martina als ze ons komt halen voor gym. 'We gaan naar buiten.' Ze heeft haar strakke roze trainingspak aan. Haar benen zijn net twee zuurstokken.

'Toch niet voetballen...,' zucht Brit in de kleedkamer.

'Nee, hè, de jongens zijn altijd zo ruw,' zucht Maartje. En dan giechelen ze.

Juf Martina staat ons met een bal onder haar arm op te wachten. Lennart draagt de oranje pionnen, Finn de tas met hesjes. Dat wordt dus voetballen! Yes!

We lopen naar het grasveld aan de overkant van de school.

'Ik wil twee teams,' zegt juf Martina als ze de pionnen van Lennart aanpakt. 'Carl en Luca, kom maar naar voren. Jullie mogen kiezen. Luca begint.' Ze zet een pion op het gras, doet twee grote stappen en zet de andere neer.

'Lennart,' roept Luca.

Iedereen weet dat hij de beste voetballer is, niet alleen van onze klas, van de hele school.

'Max,' roept Carl.

'Boris,' roept Luca.

'Sannie.'

Kiest Carl mij?! Omdat Sam goed kan voetballen natuurlijk... Ineens vind ik er niets meer aan.

Als ik achter Max sta, hoor ik de jongens met elkaar smoezen. Hoezo Sannie? Weet Carl niet dat je meisjes pas aan het eind kiest, als alle jongens op zijn? Brit en Maartje stoten elkaar gniffelend aan. Verliefd, hoor ik.

Echt niet. Hij weet dat ik vorige zomer alleen maar gevoetbald heb. Hij denkt dat hij een sterspeler binnenhaalt. Als de anderen zouden weten dat ik deed alsof ik een jongen was, vinden ze me vast nog raarder dan ze me nu al vinden. Maar ik ga me toch niet twee weken vervelen als ik kan voetballen?

'Finn,' roept Luca.

'Mustafa,' roept Carl.

Pas als er geen jongens meer staan, worden de meisjes gekozen. Groep 8 is niet alleen hartstikke braaf, maar ook vreselijk ongeëmancipeerd. Alsof meisjes niet kunnen voetballen!

Als er twee rijen staan, zet juf Martina de tas met de hesjes voor Carl neer. Ik laat als laatste het oranje hesje over mijn hoofd zakken en slenter naar onze kant van het veld. Als Sannie, niet als Sam. Reken maar dat Carl spijt gaat krijgen dat hij mij gekozen heeft.

Niemand wil op doel. Teun offert zich op. 'Alleen de eerste helft,' zegt hij. 'Daarna wil ik spelen.'

Juf Martina blaast op haar fluitje. De wedstrijd begint.

Lennart scoort al in de eerste minuut. Voor ik het weet staan we 3-0 achter. Niemand kan hem tegenhouden als hij op Teun afrent, alleen of samen met Finn en Mitchel. Ik sta erbij, als een zoutzak, en kijk ernaar, net als de meeste meisjes. De enige die nog een beetje probeert mee te doen is Luca. Maar de jongens spelen vooral naar elkaar.

Ineens rolt de bal voor mijn voeten.

Ik weet waarom Carl me aanspeelt. Hij wil Sam in actie zien, hij wil me ontmaskeren, maar daar trap ik natuurlijk niet in. Toch kan ik het niet laten om er een stukje mee naar voren te lopen. Ik weet dat ik vanuit deze positie kan scoren. Vlak voor ik uithaal, draai ik mijn been iets uit zodat de bal ver naast het doel over de achterlijn gaat rollen. Een kansloos schot dus, maar wel iets te hard per ongeluk... Stom, want meisjes kunnen meestal niet zo hard schieten. Mustafa rent er achteraan of zijn leven ervan afhangt, hij weet de bal net binnen te houden en geeft een messcherpe voorzet aan Max. Die schopt de bal rakelings langs Boris over de doellijn, 3-1. Max en Mustafa geven elkaar een high five.

Dat de bal dankzij mij eindelijk een keer in de buurt van het andere doel is gekomen, en dat ik makkelijk had kunnen scoren als ik had gewild, hebben ze niet eens door. Ze negeren me volkomen. Ik word ineens zo kwaad. Wat denken ze wel? Zal ik eens laten zien dat ik, EEN MEISJE, toevallig best goed kan voetballen? Ik speel de jongens er zo uit als ik wil. Allemaal. Behalve Lennart natuurlijk. En een sprintkanon als Mustafa ben ik ook niet, maar verder... Pfff! Maar ik móet me inhouden. Of beter: Sam moet zich inhouden. Carl mag hem niet in actie zien. Dan verpest ik alles. Hij móet denken dat hij zich vergist. Dat hij in Frankrijk een jongen heeft gezien die op mij lijkt.

De rest van de wedstrijd doe ik alsof voetbal me totaal niet interesseert en blijf ik zo veel mogelijk uit de buurt van de bal. Eén keer moet ik wel in actie komen, juf Martina heeft al een paar keer geroepen dat iedereen mee moet doen. Dus ik kan niet weglopen als de bal voor mijn voeten rolt. Nu denk ik er gelukkig wel op tijd aan om zo stuntelig mogelijk de bal te raken. Zelfs de meisjes lachen me uit als ik er langs schop en bijna omval.

We verliezen met 8-2. Carl bakt er ook niets van. Hij is dan wel een jongen, maar hij kan echt niet voetballen. David ook niet trouwens, daarom knikkeren ze natuurlijk alleen maar.

Als juf Martina eindelijk affluit, schopt Carl keihard tegen een pion. Als hij uithaalt om tegen de tweede te trappen, klinkt het schelle fluitje van juf Martina. Hij pakt de pion met een kwaad gezicht op en loopt zonder iets te zeggen naar de kleedkamer.

Hij had natuurlijk gehoopt dat Sam de sterren van de hemel zou spelen, dat zijn team glansrijk zou winnen.

Maar ik ben niet achterlijk, ik mocht niet voor niets een groep overslaan! Ik ga mezelf toch niet verraden? Al moest ik me echt vreselijk inhouden. Ik houd ook niet van verliezen.

15

Omi zwemt thuis ook elke week. Natuurlijk wil ik mee. Ik vind zwemmen hartstikke leuk. Papa en mama willen nooit, echt nooit zwemmen. Behalve als we op vakantie zijn, in de open lucht, in een buitenbad of in zee. 'Ik trek alleen baantjes hoor,' zegt omi. De bus stopt vlak voor het zwembad. De deuren zoeven open. Vlak voor de ingang begint het te regenen. 'Kom, rennen!' Ze trekt me mee. 'Anders zijn we al nat voor we in het water liggen.'

We kunnen gelukkig nog net naast elkaar in de badhokjes. Er zijn vooral heel veel gillende peuters en kleuters. Waarom zeggen hun moeders niet dat ze moeten kappen met dat gejengel en geschreeuw? Het doet gewoon pijn aan mijn oren.

Ik pak m'n broekje uit de tas en trek hem over mijn benen omhoog. Meestal zwem ik zo. Maar nu ben ik mét omi én zit ik in groep 8... Ik duw de driehoekjes voor mijn borst. Hoe maak je dat ding vast op je rug als je niets kunt zien?

'Moet je je topje niet mee als jullie naar het meer gaan,' vroeg mama.

'Niet nodig,' zei ik.

Niet alleen mijn topje, ook mijn broekje lag onder in mijn slaapzak, maar dat wist mama niet. Als ik in dat kleine, strakke broekje ging zwemmen, zouden ze meteen doorhebben dat er iets ontbrak, dat ik daar óók zo plat was als een dubbeltje. Van boven leek ik een jongen, van onder was ik dat natuurlijk niet.

'Ben je klaar?' vraagt omi.

Haar blote voeten staan voor mijn hokje. Ze heeft roze nagellak op.

'Bijna,' zeg ik. Het is me nog steeds niet gelukt om een knoop in het touwtje te krijgen. Wacht... Dat ik dat niet eerder kon bedenken. Snel schuif ik de driehoekjes naar achteren, trek de touwtjes tegen mijn ribben en maak een strik voor mijn borst. Dan draai ik mijn topje naar voren en maak 'n knoop in mijn nek. Klaar!

We lopen samen naar het zwembad. EERST DOUCHEN, DAN PAS ZWEMMEN staat op een bordje dat naar de douches wijst.

'Wel zo hygiënisch met al die mensen,' zegt omi.

'Nu zijn we toch al nat voor we in het water liggen,' zeg ik als ik naast haar onder de warme douche kruip.

Ze knijpt lachend in mijn wang. 'Bijdehandje. Weet je dat je bovenstukje veel nieuwer lijkt? Je zwemt zeker meestal alleen in je broekje?'

Bovenstukje? Omi gebruikt soms van die rare ouderwetse

woorden. Ik knik. Dit is zelfs de eerste keer dat ik mijn topje aan heb.

Eerst zwem ik een paar baantjes mee. We moeten opletten omdat niemand anders dat lijkt te doen. Eén keer bots ik bijna tegen twee meisje aan die tikkertje spelen. Waarom doen ze dat niet ergens anders?

Omi trekt zich van niemand iets aan en zwemt onverstoorbaar op en neer. Twintig doet ze er altijd, heel rustig, in schoolslag. En als het nodig is, gaat ze een stukje opzij. Ze vindt het niet erg als ik van de glijbaan ga. 'Toe maar, dan zwem ik lekker verder.'

Er staat een rij, maar het gaat best snel. Voor ik het weet sta ik boven bij het begin van de glijbaan. Ik laat me zakken in het zacht stromende water, mijn lichaam schuift van links naar rechts en ik ga steeds harder. Ik doe mijn ogen dicht, dat is zo'n lekker gevoel. En dan val ik met een plons in het water. Alsof iemand ineens keihard op de rem staat. Ik zwem naar de kant, hijs mezelf omhoog en dan lijkt het wel of ik mijn naam hoor. Ik ken die stem...

Als ik omkijk, zie ik nog net iemand van de glijbaan afzeilen en koppie onder gaan.

Pas als hij naar me toe crawlt, zie ik dat het Carl is. Zonder bril en met nat haar ziet hij er heel anders uit. Heeft hij me gevolgd? Die jongen is echt gek.

'Toevallig,' roept hij. 'Ik zie je hier nooit.'

Hij doet alsof hij me totaal niet verwacht had, alsof hij hier elke dag komt... Leuk geprobeerd, maar daar trap ik echt niet in.

'Ik wist niet dat je een bikini had!' roept hij. Nog een paar slagen en hij is bij me.

Ik moet hier weg! Razendsnel trek ik mijn benen uit het water en ren naar het grote bad.

'Wacht,' roept hij nog, maar ik ben echt niet geïnteresseerd in wat hij nog meer te melden heeft.

Mijn hart bonkt in mijn oren. Waar is omi? Ik speur het grote bad af. Ze moet toch ergens zijn... Dan zie ik haar zwaaien vanuit het ondiepe. Ik spring in het water en zwem zo hard als ik kan naar haar toe.

'Dit is mijn kleindochter,' zegt omi als ik hijgend naast haar sta.

De vrouw met wie ze staat te praten heeft grijs haar en kijkt me vriendelijk aan.

'Zullen we verder zwemmen?' vraagt omi. Ze houdt het touw naar het diepe voor me omhoog.

Ik duik snel onder water.

'Hoeveel baantjes moet je nog?' vraag ik als ik naast omi zwem.

'Zes.'

'Ken je haar?'

'We botsten bijna tegen elkaar op,' zegt omi, 'en toen raakten we aan de praat. Ze zwemt hier al jaren, drie keer

per week. Ze woont vlak achter jullie, in de Louise de Colignystraat.'

Die is twee straten bij ons vandaan. Zou ze in een van de
huizen wonen of in de flat er tegenover?

Als we terugzwemmen, komt Carl ons tegemoet, samen
met de mevrouw waar omi mee kletste. Hij is hier dus
ook met zijn oma. Ging hij bij haar op bezoek toen ik
dacht dat hij me volgde?

Ik ga snel aan de andere kant van omi zwemmen zodat ik
niet vlak langs hem hoef.

'Ken je hem?' vraagt omi als ze voorbij zijn.

'Hoezo?' vraag ik.

'Hij zwaaide naar je.'

Ik keek expres de andere kant op toen hij langskwam.

'O,' zeg ik. 'Hij zit ook in groep 8.'

16

Als ik wakker word, denk ik aan Carl. Ik wil hem niet in mijn hoofd, maar ik krijg 'm niet weg. Hij is net een pitbull, hij laat niet meer los tot ik toegeef dat ík het was op Camping Le Château. Waarom gelooft hij niet gewoon dat ik Sam niet ben?
Het was dom dat ik wegrende bij de glijbaan. Ik had hem gewoon glazig moeten aankijken toen hij over mijn bikini begon. Hoezo wist hij niet dat ik er eentje had, heeft hij me ooit zien zwemmen dan?
Ja dus. Hij is ons zelfs gevolgd naar het meer...

Toen ik aan kwam rennen, waren ze allemaal al op het vlot. Jean zwaaide. Ik smeet mijn handdoek op het gras, trok mijn T-shirt over mijn hoofd, schopte mijn slippers uit en rende het water in. Al bij de eerste stap protesteerden al mijn spieren. Voetje voor voetje liep ik verder, maar toen het water tot mijn knieën kwam, wilde ik maar één ding: weg uit het ijskoude water!
'Allez,' riep Jean. 'Viens!'
Ik moest komen, maar het vlot lag minstens vijftien meter verderop. De enige manier om daar te komen was door dat vrieswater... Ik deed een stapje naar voren, mijn pijpen raakten het

water. Koud! Ik deed nog een klein stapje, mijn short zoog zich vol en de kou trok op tot aan mijn kruin. Mijn hele lichaam verstijfde.

'Come on, Sèm!' riep Gary. 'What are you? A girl?'

Of ik een meisje was? Hij twijfelde toch niet? Ik slikte. Met voetballen had niemand iets door, maar als ik me nu liet afschrikken door een beetje kou... Hoe kon ik vergeten dat jongens er altijd in één keer in rennen? Ik dook het water in en zwom als een gek naar het vlot. Jongens hebben het ook koud, maar die laten zich niet kennen, die zijn stoer. Ik hapte naar adem. Jongens hebben het ook koud, maar die laten zich niet kennen, die zijn stoer. Zo lang ik dat maar in mezelf herhaalde, lukte het me om door te zwemmen.

'Ici!' riep Jean. In één beweging trok hij me op het vlot. Een mierenspoor van zwarte haartjes liep van zijn navel naar de rand van zijn zwembroek. Die zat strak om zijn billen, van voren bolde de stof een beetje op. Hij was al dertien of veertien. Zijn stem deed af en toe ook raar. Sébastian, de andere Franse jongen, was de enige die ook een zwembroek aan had, alle anderen droegen een short.

Ik liet me hijgend op de warme planken vallen. Het vlot deinde op en neer. De zon was fel, ik tintelde van top tot teen. Dit was mijn beloning, zo kon ik wel eeuwen blijven liggen. En toen hoorde ik ze lachen. Ze stonden om me heen. Waarom wezen ze allemaal op hun kruis? Ik begon bijna te hyperventileren. Zat mijn short nog wel goed? Zagen ze iets? Of beter: zagen ze

niets? Ik schoot overeind en sjorde m'n short naar beneden.
'Cold water,' zei Neil met een grote smile op zijn gezicht, 'makes
him very small.' Hij hield zijn duim en wijsvinger een paar cen-
timeter uit elkaar. Ze lachten.
Ik lachte mee. Yes, very small. Onzichtbaar klein.

'Die mevrouw in het zwembad gisteren, is dat zijn oma?'
vraag ik.
Omi lacht. 'Lieverd, zo oud is ze toch niet? Ze is beslist
een jaar of vijftien jonger dan ik, hoor.'
Ik had alleen gezien dat ze grijs haar had.
Omi drinkt langzaam van haar thee en schudt haar
hoofd. 'Nee, dat kan haar kleinzoon niet zijn,' zegt ze. 'Ik
denk dat het haar zoon is.'
Maar als die mevrouw al jaren in het zwembad komt, dan
woont ze hier dus ook al lang. Waarom zegt Carl dan dat
hij pas in Nederland is komen wonen? Ik vond het nog
wel zielig voor hem dat zijn ouders zo vaak verhuisden.
Heeft hij al die landen gewoon verzonnen? Denkt hij dat
iedereen hem interessant vindt als hij zegt dat hij overal
heeft gewoond? Opschepper! Hij kijkt gewoon teveel in
de atlas!
Terwijl ik een hap wegslik van mijn cracker, neem ik een
besluit. Aanvallen is de beste verdediging, zegt juf Martina altijd. Carl liegt ook. En dat is niet zo moeilijk te bewijzen.

Ineens voel ik een warme hand op mijn schouder. Papa.
Zijn haar staat alle kanten op.
'Je moet zeker bijna naar school?' Zijn stem klinkt schor
van de slaap.
Ik knik.
Omi zet een kopje en een bord voor hem neer. 'Hoe was
het gisteravond?' vraagt ze.
'Laat,' gaapt papa als hij naast me gaat zitten. 'Maar ik
wou Sannie nog even zien.' Hij aait over mijn haar.
'Mis je mama ook?' vraagt papa.
Ik knik. Natuurlijk mis ik haar!
Ik laat mijn hoofd op zijn schouder vallen en doe mijn
ogen dicht. Hij is speciaal voor mij uit bed gekomen. Zo
lief. Hij kriebelt zacht over mijn hoofd. Het lijkt wel of hij
mijn hersens activeert, ik denk alweer aan Carl. Ik wist
dat er iets met hem was. Maar waaróm liegt hij? Is hij
soms van zijn vorige school gestuurd? Wat verbergt hij?
Is het nog erger dan wat ik heb gedaan?
Ineens klinkt er een bons tegen de keukendeur. 'Opschie-
ten, anders komen we te laat!' roept Lodewijk.

17

Pas als we zien dat iedereen nog op het speelplein is, gaan we gewoon lopen.

'Waar was je gistermiddag?' vraagt Lodewijk.

'Naar het zwembad,' zeg ik.

'Met wie?'

'Met omi.' Ik zucht. Ik ben helemaal vergeten om te vragen of hij mee wilde... Ik mag ook altijd mee als hij met Karin gaat zwemmen.

'Ik dacht dat je bijles had,' zeg ik snel.

'Ik was al om drie uur thuis,' zegt hij. 'Ik heb nog bij je aangebeld.'

Omi en ik gingen om half drie met de bus. We hadden best kunnen wachten als ik geweten had dat hij om drie uur thuis was. Maar dat wist ik niet.

'Vind je rekenen al leuk?' vraag ik als we de trap op lopen. Hij schudt zijn hoofd. 'Waarom wacht je nooit meer op me?'

Omdat Carl anders bij me komt staan. En ik niet wil dat hij Sèm tegen me zegt waar hij bij is.

Ik haal mijn schouders op. 'Omi vroeg of ik meteen naar huis kwam.' Liegbeest. Omi vroeg juist waarom Lo niet mee was.

Als we boven zijn, staat hij stil. Kinderen rennen tegen ons aan. Hij kan net overeind blijven staan.

'Het gaat niet alleen om gister,' zegt Lodewijk zacht. 'Je wacht nooit meer. Als je genoeg van me hebt, zeg het dan gewoon.'

Het lijkt wel of hij bang is voor mijn antwoord. Met zijn hoofd tussen zijn schouders sloft hij weg.

Het kleine fretje knaagt in mijn buik. Ik heb helemaal geen genoeg van je, wil ik schreeuwen. Ik kan niet op je wachten omdat Carl me stalkt. Maar als ik dat zeg, wil hij weten waarom. En dan wil hij alles weten. En dat kan dus niet.

Ik heb al drie keer bedacht hoe ik het ga zeggen en waar. Ik heb me zelfs voorgesteld hoe rood Carl wordt en nu is hij er niet. Dat is echt superfrustrerend. Vandaag durf ik, morgen misschien niet meer.

Als we na de middagpauze ons taalboek moeten pakken, wordt er geklopt en gaat de deur langzaam open. Meester Peter loopt op Carl en zijn moeder af. Omi had gelijk. Ze heeft best een jong gezicht. Maar ze heeft wel grijs haar. Ze legt vast aan meester Peter uit waarom Carl te laat is. Ze praten zo zacht dat ik niet kan horen wat ze zeggen. Dan verdwijnt ze. Carl loopt naar zijn plaats.

Ik had er helemaal niet meer op gerekend dat hij nog zou komen. Ik begon net aan het idee te wennen dat hij misschien wel de hele week ziek zou blijven en hoe rustig dat zou zijn. Of dat hij toch besloten had naar een andere school te gaan en nooit meer terug zou komen. Nee dus, helaas pindakaas.

Na taal mogen we lezen. En dan gaat de bel, eindelijk vrij. Bij het hek staat hij op me te wachten. Zo zou het dus elke dag gaan als ik niet vanuit de klas direct naar huis zou sprinten.

'Ik weet iets van jou,' zeg ik voordat hij iets tegen mij kan zeggen.

'Fijn voor je, Sèm,' zegt hij terwijl hij een grote hap van zijn appel neemt.

Hij spreekt Sèm weer precies zo uit als Gary, het is gewoon eng. Maar ik moet me nu niet laten afleiden.

'Je woont al heel lang in de Louise de Colignystraat,' zeg ik.

Hij wordt niet eens rood. 'Hoe kom je daar nou weer bij?' vraagt hij kauwend.

Lekker onverschillig. Zou ik ook doen. Hij kan goed liegen.

'Je moeder zwemt al jaren hier in het zwembad, zei ze tegen mijn oma.' Ik struikel bijna over mijn woorden zo zenuwachtig ben ik. Voor ik adem kan halen om te zeggen dat hij helemaal niet in Afrika, Australië en weet ik waar gewoond heeft, zegt hij: 'Dat is mijn moeder niet.'

Hij bijt op zijn lip terwijl hij zijn bril op zijn neus duwt.

'Carl,' roept David. 'Nog even knikkeren?'

Zonder om te kijken, rent hij weg.

Daar sta ik dan. Met mijn mond vol tanden. Mijn aanval is hopeloos mislukt. Ik weet 100% zeker dat hij niet liegt. Anders kijk je niet zo als je op je lip bijt.

Ineens beukt er keihard iemand tegen mijn rug. Ik knal voorover en stik bijna. Welke idioot... Lodewijk? Hij wrijft over zijn ellenboog. De tranen staan in zijn ogen.

'Sorry,' piept hij zacht.

Melle en Marius sprinten er als een haas vandoor. Het zijn net twee M&M-poppetjes, Marius met zijn rode sweater en Melle met z'n groene. Ze zijn altijd samen en ze moeten altijd Lo hebben.

'Doen ze dat vaker?' vraag ik. Toen ik nog bij ze in de klas zat, durfden ze Lo niet te pesten, maar nu kan ik Lo niet meer beschermen.

Lodewijk knikt.

Hij kijkt zo zielig dat het fretje in mijn buik weer om zich heen begint te bijten. Mijn schuldgevoel groeit met de seconde. Melle en Marius verzuren zijn leven. Dáárom sleept hij zich iedere ochtend de trap op. Het heeft niets te maken met dat hij leren niet leuk vindt. Lekkere vriendin ben ik...

En dan neem ik een besluit. Mijn tweede vandaag. Dat fretje in mijn buik móet weer rustig gaan slapen. Ik wil niet dat alle vrolijkheid in dat zwarte gat achter mijn navel verdwijnt zoals na de zomervakantie in Frankrijk. Weken kon ik nauwelijks lachen. Vanaf nu laat ik Lodewijk niet meer in de steek. En als dat betekent dat ik Carl niet kan ontlopen, jammer dan. Hij kan de pot op. Hij heeft geen enkel bewijs. Het is mijn woord tegen het zijne.

18

Drie schilderijen verkocht!!! Ik ben zo blij!
Hoe gaat het met jou?
Kusjes uit New York 🖤 🖤 🖤

Ik rek me uit en scroll naar de foto die mama heeft mee-
gestuurd. Lachend houdt ze een glas champagne naar
voren. Alsof ze met me proost. Ligt New York nu al aan
haar voeten? En dan straks de hele wereld? Dan moet ze
natuurlijk hartstikke vaak op reis en heeft ze nooit meer
tijd voor mij en papa. Ineens mis ik haar heel erg.
Ik lees haar berichtje nog een keer. Nee, er staat echt niets
over dat ze mij mist. Misschien heeft ze in haar hoofd alleen ruimte voor New York en haar verkochte schilderijen. Dat is in ieder geval een stuk leuker dan een hoofd
vol Carl.
Ik laat me weer op mijn kussen vallen. Maar als die vrouw
Carls moeder niet is, wie is ze dan wel? En waarom woont
hij bij haar en niet bij zijn moeder? Heeft hij echt in al die
landen gewoond? Ik geloof er niets van. Ik zucht. Er was
een minuutje plaats voor mama, maar ze is alweer opzij
geduwd. Door Carl.
'Sta je nog niet onder de douche?' fluistert omi om de

deur. 'Gauw, anders kom je te laat!'

Als ik mijn oksels inzeep, bedenk ik dat ik nog iets te weten moet komen over Carl. Waarom was hij gisterochtend niet op school?

'Wacht je echt op me vanmiddag?' vraagt Lodewijk boven aan de trap.

Ik kruis mijn wijsvinger en middelvinger voor mijn hart. 'Echt.'

Als hij wegslentert, begint het fretje weer rond te kruipen. Wat ben ik toch een stomme trut. Ik ben de laatste tijd alleen maar met mezelf bezig en met hoe ik Carl kan ontlopen... Ik ben zo superegoïstisch dat ik niet eens zie dat mijn beste vriend me nodig heeft. In de klas en in de pauze kan ik Lo niet beschermen, maar ná school wel.

'Sèèèm!' hoor ik vlak bij mijn oor als Carl langs rent.

Met een zucht zet ik mijn rugtas naast mijn tafeltje. Hij geeft niet op. Hij blijft me stalken tot ik toegeef dat ik het was op de camping.

Als het alleen dáár om ging, dat ik deed alsof ik een jongen was omdat ik mee wilde doen met voetballen, zou ik het best willen toegeven. Uiteindelijk dan. Ze vinden me toch al raar in groep 8. Maar zolang ik niet weet of Carl ons gezien heeft in het bos, heb ik geen andere keus dan glashard blijven ontkennen.

Vanmiddag staat hij me natuurlijk weer op te wachten.

En nu kan ik niet wegvluchten. Ik heb gezworen dat ik er sta, en als Lodewijk en ik elkaar iets zweren, dan is dat heilig. Maar hoelang kan ik nog voor Lo verbergen dat Carl me stalkt?

Meester Peter loopt door de klas. 'Zijn jullie ook zo blij dat het bijna weekend is?' vraagt hij.

Blij? Ineens herinner ik me mijn besluit van gister weer. Kappen met dat zelfmedelijden, zeg ik tegen mezelf. Jammer dan dat Carl straks bij het hek staat. Ik ging toch in de aanval? Ik laat me toch niet afschrikken omdat hij een beetje zielig kijkt omdat die vrouw zijn moeder niet is? Ik weet nog steeds niet wie die vrouw dan wel is. Leeft zijn moeder nog wel? En waar is zijn vader? Ik stap in de pauze op hem af. Alleen dan kan ik Lodewijk er buiten houden.

19

Waar is Lo? Hij weet toch dat ik altijd doe wat ik beloof?
Ik kan er toch niets aan doen dat David maar door bleef
vragen over de strenge winters van vroeger en dat meester
Peter zelfs na de bel bleef praten over zijn schaatstochten...
Lodewijk weet vast niet dat ik niet alleen hém bescherm,
hij beschermt míj ook. Ja hoor, daar is Carl al.
'Zo, Sèm,' zegt hij. 'Ga je nog voetballen dit weekend?'
Hup, Sannie. In de pauze was hij geen moment alleen.
Gewoon vragen. Nu.
'Bij wie woon je dan als dat je moeder niet is?' vraag ik
terwijl ik een steentje wegschop. Hem ook nog aankijken,
dat gaat echt te ver.
En dan sprint hij er als een haas vandoor. Hij rent gewoon
weg! Schrikt hij zo van mijn vraag? Maar nu zal ik antwoord krijgen ook! Ik ren hem achterna, hij is al in de
fietsenstalling.
Veel zie ik niet. Het is hartstikke donker. Wat moet Carl
hier? Hij komt toch ook lopend naar school?
Aan het eind staan twee jongens. Ik kan ze niet goed zien,
maar ze trappen ergens tegenaan. Carl loopt op ze af.
'Bemoei je er niet mee,' bromt een stem. 'Of wil je ook een
mep?'

Melle? Dan is Marius er dus ook. Ja, nu zie ik ze. M&M.

Carl trekt Melle weg. 'Kappen jij!'

Marius springt op zijn rug. Carl slaat om zich heen en wankelt. Net goed, val maar lekker, eigen schuld. Maar ik kan het niet uitstaan dat ik niet weet waar ze tegenaan schoppen. Bovendien wil ik nog steeds antwoord op mijn vraag.

'Hé,' roep ik met een diepe stem. 'Hou daar mee op!' En dan duik ik achter een fiets.

Marius springt van schrik van Carls rug en kijkt zoekend rond. Maar hij ziet me niet.

'Sta op,' roept Carl terwijl hij Melle opzij trekt. 'Snel.'

Iemand kreunt. Langzaam komt een hoofd omhoog. Lodewijk?!? Dus dáárom stond hij niet bij het hek! Ze hebben hem in elkaar geschopt... Dit is zó gemeen. Ik moet hem helpen!

'O, ben jij het,' zegt Marius als ik aan kom rennen. 'Kijk Lodewijntje, daar is je vriendje.' En dan duwt hij Lo weer tegen de grond.

Mijn hart bonkt in mijn oren. Ik haat het als hij *vriendje* zegt. Maar nog veel erger is hoe hij Lo noemt. Lodewijntje... Lo is geen meisje! Ik schop keihard tegen Marius' scheenbeen. Hij krimpt in elkaar. Net goed!

Ik help Lo overeind en trek hem mee, hij is net een hulpeloos welpje dat bijna verscheurd is door twee hyena's. Ik heb zo'n medelijden met hem... We moeten weg uit dit donkere hok, maar ineens klemt Marius' hand als een bankschroef om mijn arm.

'Hier blijven,' snauwt hij. Hij knijpt echt hard.

Melle houdt Lodewijk in de wurggreep. Carl probeert met alle macht Melles arm van Lo's nek te halen, maar Melle is echt achterlijk sterk. Hij zit op judo geloof ik, of karate. Als hij Carl probeert weg te slaan, vliegt de bril van Carl bijna van zijn neus.

Ik trap nog een keer naar het been van Marius. Hij deinst onmiddellijk achteruit. Ik ben los! Nu Lodewijk nog. Er is maar één manier. Schoppen. Keihard. Melle grijpt krijsend naar zijn enkel. Die is raak! Eigen schuld, dikke bult.

Lo rent weg. Marius probeert ons nog tegen te houden, maar Carl geeft hem zo'n harde zet dat hij wankelt. Dan rennen we als een gek achter Lo aan, het fietsenhok uit, de straat over. Pas bij de Willem de Zwijgerlaan stoppen we. Ik hap naar adem.

Arme Lodewijk... Er zit een scheur in zijn broek en zijn lip bloedt.

'Doet het pijn?' vraag ik als ik weer een beetje kan praten.

Kreunend voelt hij aan zijn dikke lip.

Ja, dus.

'Bloedt het?' vraagt hij. Hij durft niet naar zijn vingers te kijken.

Ik knik.

'Je bloedt als een rund, man,' zegt Carl en haalt zijn mo-

biel uit zijn broekzak. 'Ik ga nu een ambulance bellen.'
Lo wordt spierwit. Ik roep nog dat het een grapje is, maar
hij zakt al in elkaar. Ik kan hem nog net opvangen voor
hij languit op de stoeptegels klettert.

Als ik hem overeind probeer te trekken, slaat Carl snel
een slappe arm van Lo over zijn schouder. Samen hijsen
we hem omhoog.

Mijn gezicht is nog nooit zo dicht bij dat van Carl geweest. Er is geen stukje van zijn voortand afgebroken, die
tand staat gewoon een beetje scheef.

'Heeft hij dat wel vaker?' vraagt Carl.

'Lo is doodsbang voor bloed. Hij moet wat drinken,' zeg
ik. 'Dan knapt hij zo weer op.'

Het is zeker nog vijf minuten lopen naar ons huis en ook
al is Lo harstikke mager, hij is toch best zwaar als hij niet
meewerkt.

'Kom,' zegt Carl. 'Als we afsnijden zijn we er binnen een
minuut.'

20

Een minuut? Ik wist niet dat je vanaf de Willem de Zwijgerlaan kunt doorsteken en zo via een poortje bij de tui-
nen van de Louise de Colignystraat uitkomt. Maar
eigenlijk is het logisch, wij hebben ook een achterom.
'Waar zijn we?' fluistert Lodewijk als we voor de poort-
deur staan. Hij is gelukkig niet meer zo spierwit.
'Bij mij,' zegt Carl als hij de deur openduwt.
Ik laat Lo los. Hij kan wel weer op zijn eigen benen staan.
Daar zijn we dan in de tuin van... Ja, van wie, dat weet ik
nog steeds niet.
In de keuken duwt Carl Lo op de enige kruk die er staat,
maar Lo wil eerst zijn handen wassen. Hij duwt het zeep-
pompje diep in en smeert zijn handen zoals altijd super-
grondig in, bijna tot aan zijn ellenbogen. Normaal vraag
ik meestal wie hij gaat opereren, maar nu begrijp ik wel
dat hij alles goed van zich af wil schrobben.
Als Lo eindelijk op zijn kruk zit en naar Carl kijkt terwijl
hij zijn glas leegdrinkt, weet ik wat hij denkt. Mijn redder,
mijn held... Lodewijks dankbaarheid zal grenzeloos zijn.
Hij zal niets liever willen dan dat Carl zijn vriend wordt.
Ik ken Lo.
Als Carl onhandig een rol biscuitjes opentrekt, springt

Lo van zijn kruk en vangt ze op voor ze op de vloer kapot vallen. Ze lachen. Alsof ze al jaren vrienden zijn.

Ik sta erbij en ik kijk ernaar. Vanochtend dacht ik nog dat ik Lo er buiten kon houden. Nu zitten we in Carls keuken... Lo zal er niets van begrijpen als ik Carl uit zijn buurt wil houden. Dan heb ik pas echt wat uit te leggen.

'Is je moeder niet thuis?' vraagt Lodewijk.

Carl schudt zijn hoofd.

Lodewijk vraagt niet verder helaas. Nu weet ik nog steeds niet waar zijn moeder is, maar misschien kan Lo daar wel een keer achter komen. Misschien is het toch niet zo erg als ze vrienden worden. Of wel? Er schuift een zwart wolkje in mijn hoofd. Wat als ze over de camping beginnen? Lodewijk zeurt al tijden aan Karins hoofd waarom zij niet een keer naar camping lu sja-tooh gaan. Als hij z'n best doet om château op z'n Frans uit te spreken, wringt hij zijn lippen in zulke rare bochten dat ik altijd moet lachen. In Frankrijk gebruiken ze volgens mij totaal andere praatspieren dan wij. Lo wil er trouwens alleen maar naartoe omdat hij denkt dat in het kasteel dat ernaast ligt nog iets te zien is van de ridders van vroeger, hij is namelijk dol op ridderverhalen. Maar zijn ouders houden niet van lang in de auto zitten en al helemaal niet van kamperen. Ze vliegen meestal naar Spanje of Griekenland en slapen in een hotel of appartement. Ik wou dat wij dat een keer deden. Ik heb nog nooit gevlogen.

Volgens Lo is er niet veel aan. Ja, misschien niet als je elk jaar vliegt. Maar je wilt geloof ik altijd iets, wat je nog nooit gedaan hebt.

Carl houdt de rol koekjes voor mijn neus. 'Pak er maar twee,' zegt hij.

Ik heb best trek gekregen van al dat geduw en getrek.

Bonk, weer een bonk. Het lijkt wel of er iemand de trap af komt. Is die vrouw, die niet zijn moeder is, wel thuis? Dan klinken de bonken in de gang, even is het stil. De keukendeur zwiept open. Een kalende man met een vreselijk bruin gezicht hinkt op krukken de keuken binnen. 'Zo, jongen, hoe was het op school?' vraagt hij. Zijn linkervoet zit in het verband. Alleen zijn tenen, ook vreselijk bruin, steken eruit.

'Oké,' zegt Carl. 'Zij zijn van school.'

Als de man ons een hand wil geven, klettert een van de krukken op de tegelvloer.

'Ik moet nog wel wennen aan die rare dingen,' zegt hij als ik hem zijn kruk teruggeef. Dan krijg ik een hand en Lo ook.

'Huisman. Zitten jullie bij Carl in de klas?'

Zelfde achternaam, zelfde stem. Dit is dus Carls vader.

'Ik wel,' zeg ik.

'Ik niet,' zegt Lo terwijl hij opstaat. 'Wilt u hier zitten?'

Hij lacht. 'Op die kruk? Ik? Een kruk met twee krukken. Nee, dan kom ik nooit meer overeind. Ik moet een hoge

stoel.' Voor hij de keuken uit hinkt, draait hij zich om.
Kijkt hij naar mij? Herkent hij mij ook? Als Carl op de
camping was, dan heeft zijn vader me misschien ook wel
gezien. Snel duw ik een lok voor mijn gezicht. Ik durf niet
te kijken of zijn ogen me al hebben losgelaten.

'Tand door je lip?' vraagt zijn vader. 'Jullie hebben toch
niet gevochten?'

Er is iets raars met zijn linkeroog. Het lijkt of hij mij aankijkt, maar hij kijkt dus naar Lo die achter me staat.

'Carl heeft me juist gered,' zegt Lo gauw.

'Dan is het goed,' mompelt Carls vader terwijl hij weg
hinkt.

21

'Toffe gast,' zegt Lodewijk als we naar huis lopen.
Zie je wel, de heldenverering is begonnen. Maar eerlijk is
eerlijk, als Carl niet naar de fietsenstalling was gerend,
had Lodewijk daar misschien nog wel op de grond gele-
gen. Dan was ie misschien nog wel veel erger toegetakeld.
'Wat moesten M&M eigenlijk van je?' vraag ik.
Lodewijk haalt zijn schouders op.
Hij verbergt iets. Aan mij kan hij het toch wel vertellen?
Z'n lip is twee keer zo dik als normaal en er zit een flinke
scheur in zijn nieuwe broek. Denkt hij dat Karin straks
niet gaat vragen wat er is gebeurd?
Ik leg mijn hand op zijn arm. 'Als je niets zegt,' zeg ik met
mijn liefste stem, 'dan kan ik je toch ook niet helpen?'
Dat zei mama vroeger ook vaak als ze merkte dat me iets
dwars zat. Het luchtte altijd op als ik het haar vertelde.
Maar mama komt bijna nooit meer op mijn bed zitten.
Misschien merkt ze trouwens ook wel niets aan me. Ik
kan heel goed vrolijk doen als ik het niet ben. En al zou
ze vragen wat er is, dan zou ik het toch niet zeggen. Ik
heb nog nooit aan iemand verteld wat er die dag in het
bos gebeurd is. Aan niemand.
Lo zwijgt nog steeds. Ik kan hem niet verwijten dat hij

het me niet vertelt. Ik zeg hem toch ook niets? Vroeger hadden we nooit geheimen voor elkaar.

'Ze vinden me dom.' Hij zegt het zo zacht en zo onverwacht dat ik mijn best moet doen om hem te verstaan. Dom?

'Je weet toch dat dat onzin is!' zeg ik.

'Ze zeggen dat je genoeg van me hebt nu je in groep 8 zit,' zegt hij nog zachter dan net.

'Je weet dat dat niet waar is!' Ik schreeuw bijna, want hoe zachter hij praat, hoe harder ik ga roepen.

Vlak voor we onze poort inlopen, ga ik voor hem staan. Hij mag er pas langs als hij zegt wat er aan de hand is. Er is iets, hij draait er gewoon omheen.

'Maar daarom slaan ze je toch niet in elkaar? Waarom doen ze dat, Lo?' vraag ik.

Er glijdt een traan over zijn wang en nog eentje, zo over zijn dikke lip naar zijn kin.

Hij probeert me voorbij te lopen, maar ik spreid mijn armen. Hij weet dat ik niet opgeef en net zo lang voor hem blijf staan tot hij het zegt.

Dan schreeuwt hij ineens: 'Ik moest ze 20 euro geven!'

Ik schrik me rot. Eerst van zijn stem, dan van die 20 euro. Dat is vier maanden zakgeld!

'Waarom?' vraag ik.

'Melle zegt dat het mijn schuld is dat zijn scheetkussentje is afgepakt.'

Gaat dit om een scheetkussentje?!? Zijn ze wel goed bij hun hoofd? Die dingen worden in China gemaakt!

'Maar Lo,' zeg ik zo rustig mogelijk, want ik probeer hem echt te begrijpen, 'een scheetkussentje kost hooguit twee euro of zo.'

Hij kijkt weg.

Ik pak zijn arm. 'Zeg het, Lo. Ik wil je helpen.'

Dan kijkt hij me met zulke droevige ogen aan dat ik er buikpijn van krijg.

'Elke dag dat dat scheetkussen in de la van juf Dora ligt,' zegt hij, 'kost me vijf euro. Weet je hoe onmogelijk het is om dat ding eruit te halen...' Hij zucht. 'Haar sleutelbos zit altijd in haar tas.'

Persen ze hem af om een scheetkussen!? M&M kijken te veel maffiaseries. Maar ik begrijp het nog steeds niet.

'Dus ze sloegen je in elkaar omdat je niet kon betalen?' Mijn stem slaat bijna over, zo idioot vind ik het.

Lo knikt. 'We hebben nooit meer cash geld in huis. Mijn ouders pinnen alleen nog maar.'

Wilde hij het van ze pikken? Dat is echt erg.

'Waarom heb je geen nieuw scheetkussentje gekocht?' vraag ik.

'Een nieuwe?' vraagt hij. 'Dat zien ze toch?'

Hij is zo bang voor ze dat hij niet meer helder kan denken. M&M hebben hem echt in de tang. Denkt hij echt dat ze gehecht zijn aan dat stomme ding in juf Dora's la?

'Kom op, Lo!' Ik trek zijn capuchon over zijn hoofd, want het begint zachtjes te regenen. 'We gaan er nu eentje kopen.'

22

Omi is naar de kerk. Ze gaat elke zondag, ook als ze bij ons logeert. We gaan pas ontbijten als ze terugkomt. Ik verveel me.

Papa slaapt nog. Op mijn tenen sluip ik naar mama's kant en kruip onder het dekbed. De lakens zijn koud. Ik schuif naar papa en duw mijn ijsvoeten tegen zijn pyjamabroek. Ik kruip nog iets dichterbij. Zijn handen zijn altijd warm, dat is pas een fijn kacheltje. Ik schuif mijn voet omhoog en duw 'm tegen zijn hand.

Als door een bij gestoken, trekt hij hem in één ruk weg.

'Sannie...,' zegt hij slaperig. 'Ik sliep nog zo lekker.'

Hij rolt op zijn andere zij. Nu ligt hij met zijn rug naar me toe.

Ik wil dat hij opstaat en mee naar beneden gaat.

'Dacht je dat het mama was?' Ik maak een vraagteken op zijn rug.

'Als je moeder koude voeten heeft, doet ze sokken aan,' bromt hij. Dan draait hij zich heel langzaam om. 'Ben je al lang wakker?'

Ik knik.

'Jij verveelt je en omi is naar de kerk. Heb ik gelijk?'

Ik knik weer.

Ineens klinkt een zoem naast papa's bed. 'Wie belt er zo vroeg?' Hij doet zijn ogen dicht. 'Zeg maar dat ik nog slaap.'

Ik klim over hem heen en pak zijn iPhone van het nachtkastje. ISABEL staat er. Mama!

'Met Sannie,' roep ik.

'Hoe is het, lieverd,' zegt mama. 'Mis je me?'

Ik knik.

'Ben je er nog?' vraagt mama.

O, ja ik moet iets zeggen, ze ziet me natuurlijk niet. 'Ja,' zeg ik snel.

'Hoe is het met papa?'

'Ik moet zeggen dat hij nog slaapt.'

Papa probeert zijn iPhone af te pakken, maar ik houd 'm stevig vast. Dan kietelt hij me. Daar kan ik dus niet tegen, de telefoon glipt uit mijn hand en valt op de vloer. Papa springt uit bed, vist hem van de grond en loopt ermee naar het raam.

'Ik mis je,' zegt papa terwijl hij het gordijn opentrekt.

'Ik jou ook,' hoor ik mama zeggen. Papa heeft het microfoontje op aan gezet.

'Jou en Sannie,' zegt ze. 'Ik mis jullie vreselijk.' Het is even stil. 'De volgende keer moeten jullie mee, hoor.' Haar stem klinkt raar.

'Hoe gaat het daar?' vraagt papa. 'Behalve dat je ons mist,' hij knipoogt naar mij, 'wat natuurlijk logisch is.'

Ze snuit keihard haar neus. 'Het is hier geweldig. Vandaag hoor ik of er nog vier schilderijen verkocht zijn,' zegt ze. 'Maar ik kan gewoon niet zonder jullie.'

New York ligt aan haar voeten, maar mama is liever bij ons... Yes! Van opluchting adem ik zo diep in dat ik het helemaal onder in mijn buik voel. Benno moet volgende keer maar lekker alleen gaan, of wij gaan met mama mee, nog beter.

'Kun je niet slapen?' roep ik vanaf papa's warme plek in bed. Het is in New York half vier 's nachts. Misschien werd ze wakker.

'We waren uit met een paar Amerikaanse kunstenaars,' zegt mama. 'En Benno wilde nog naar een club, maar ik ben zo moe. Ze hebben me net met een *yellow cab* afgezet. En toen dacht ik: ik bel jullie nog even. Omi is zeker naar de kerk?' Ze gaapt.

'Ja,' zegt papa als hij op de rand van het bed gaat zitten. 'Ga jij maar lekker slapen, liefje. Sannie en ik gaan ontbijt maken. M'n moesje zal niet weten wat ze ziet als ze thuiskomt.'

'Dag mama,' roep ik.

'Dag lieverds,' zegt mama. 'Nog drie nachtjes en dan ben ik weer thuis!'

Dat is woensdag al! Tien dagen leek zo lang, nu lijkt het wel of de tijd is omgevlogen.

Daar is Lo. Eindelijk! Het is al over vijven! Karin kwam om drie uur zijn tas brengen omdat ze met papa en Koos meeging naar een concert. Lo zou zo komen, zei ze, hij ging eerst nog even Carl bedanken.

Zonder mij?! Hebben ze het over mij gehad? Misschien heeft Carl Lo wel verteld dat hij me gezien heeft op Camping Le Château...

'Wist jij dat hij pas twee maanden in Nederland woont?' vraagt Lo als hij zijn voeten veegt.

Ik schud mijn hoofd. Carl liegt dus toch niet.

'Ha Lo,' roept omi uit de gang. 'Wie woont pas twee maanden in Nederland?'

Ze wil altijd alles weten, ook als ze aan het strijken is.

'Carl!' roept Lo terug.

'Was zijn moeder thuis?' vraag ik. Gewoon doen alsof ik van niets weet is het beste.

'Die woont in Zambia, ze is daar ambassadeur,' zegt Lodewijk. 'Zijn vader is gebeten door een slang en kreeg een vreselijke infectie die steeds erger werd. Hij moest naar Nederland voor een operatie aan zijn voet. Als het beter gaat, vertrekt hij weer.'

Zambia ligt in Afrika. Dat is dus ook waar.

'Bij wie woont Carl dan?' vraag ik. Hopelijk heeft Lo niet door dat ik hem uithoor. Hopelijk denkt hij dat ik gewoon supernieuwsgierig ben zoals altijd.

'Bij de zus van zijn vader. Omdat hij volgend jaar naar de

middelbare school moet, mocht hij kiezen waar hij wilde wonen. Bij zijn tante in Nederland of bij zijn opa en oma in Frankrijk.'

Was hij maar lekker bij zijn grootouders gaan wonen, dan was hij nooit bij mij in de klas gekomen.

'O,' zeg ik. 'Frankrijk is toch veel leuker?'

'Carl zegt dat daar alleen in de zomer iets te beleven is. Ik zou het wel weten. Ze wonen in een klein plaatsje ergens op het platteland, naast een kasteel.'

Lo heeft iets met kastelen. Maar dat heb ik geloof ik al gezegd.

Piep, piep, piep, piep. Lo en ik schrikken ons rot. Het lijkt wel of er een alarm af gaat. O ja, omi gebruikt altijd de kookwekker. Mama nooit, die blijft meestal bij de pannen staan en proeft of het eten gaar is.

Als omi de keuken in komt, trekt ze voorzichtig Lodewijks kin naar zich toe. 'Je ziet er bijna niets meer van. Goed zo.'

Hij kijkt me fronsend aan.

Denkt hij dat ík het verteld heb? Karin kwam zijn tas toch brengen? Lo weet toch wel dat zijn moeder altijd alles doorkletst? Nu mama er niet is, vertelt ze gewoon alles aan omi.

23

Wat hoor ik toch? O, ja, Lo slaapt bij mij. Heeft ie buikpijn of zo? Straks haalt hij de wc niet op tijd. Pas als hij
op mijn stoel springt, weet ik waar hij mee bezig is. Ik
ben net te laat om mijn handen voor mijn oren te doen.
Keihard schalt een langgerekte scheet door de kamer.
Gisteravond had Lo het scheetkussentje verstopt onder
een kussen op de bank waar omi altijd zit. Ik krijg bijna
weer de slappe lach als ik er aan denk hoe omi keek toen
ze die oorverdovende knetterscheet hoorde. Ze werd zelfs
rood, ze dacht dat ze een vreselijke wind had gelaten. Pas
toen ze Lo en mij zag, we deden het bijna in onze broek,
ontdekte ze het scheetkussentje.
Lo is bang dat M&M hem weer in elkaar gaan slaan als ze
weten dat deze uit de winkel komt, daarom wil hij het er
gebruikt uit laten zien. Ik denk dat ze allang blij zijn als
ze het scheetkussentje weer terug hebben, al hebben ze
vast nog liever 20 euro, dan kunnen ze tien nieuwe kopen.

Op de hoek van de Willem de Zwijgerlaan en de Louise
de Colignystraat staat Carl te wachten. Ik was liever alleen
met Lodewijk naar school gelopen, maar dat kan ik moeilijk zeggen.

Lo loopt tussen ons in en blijft maar vragen stellen over het kasteel naast het huis van de oma en opa van Carl. Hoe het eruitziet, in welke stijl het is gebouwd. Lekker belangrijk denk ik, maar het is nu eenmaal Lo's hobby en aan mij heeft hij niet veel. Kastelen is meer iets voor jongens.

'Woonden er vroeger ook ridders?' vraagt Lodewijk.

'Ja,' zegt Carl, 'het plaatsje is in de middeleeuwen gesticht door Maltezer ridders. Zij hebben ook het château gebouwd.'

Carl zegt geen kasteel, maar château. Hij spreekt het ook precies zo uit als de Fransen. Als zijn opa en oma Frans zijn, kan hij de taal natuurlijk perfect spreken.

'Dus jouw opa en oma wonen naast dat kasteel,' zegt Lodewijk met een enorme smile op zijn gezicht. 'Gaaf, man!'

'Niet naast, maar vlakbij,' zegt Carl. 'Er ligt nog een camping tussen.'

Camping Le Château... Ik vergeet te ademen, het bloed schiet naar mijn kruin. Dan weet ik waar zijn opa en oma wonen. In dat kleine huisje aan de weg met die bloemen die mama zo mooi vond en die je ook kon zien vanaf het voetbalveld. Carl heeft ons vanuit hun tuin bespied en afgeluisterd... Dáárom heb ik hem nooit op de camping gezien.

Ik ben ineens vreselijk misselijk. Lo staat op het punt Carl een heel groot plezier te doen en mij een megaprobleem

te bezorgen. Er zijn twee mogelijkheden.
1. Lo vraagt hoe die camping heet.
2. Carl zegt de naam van camping.
In beide gevallen verraadt Lo me ter plekke. Niet expres, maar omdat ik niet verteld heb dat Carl iets weet over mij, maar niets kan bewijzen zolang ik blijf ontkennen. Nog een paar seconden en dan is alles voorbij... Dan weet Carl dat ik Sèm ben. En dan weet hij wat ik gedaan heb, of liever gezegd, niet heb gedaan.

Er telt nu maar één ding. Ze mogen ab-so-luut niet over Camping Le Château beginnen.

'Heb je het bij je?' vraag ik snel aan Lo.

Hij weet direct dat ik het scheetkussentje bedoel en knikt.

'Geef het in de pauze,' zeg ik. 'Zorg dat juf Dora het niet ziet. En als ze vervelend beginnen te doen, dan zeg je dat ze een groot probleem hebben met mij.'

'En met mij,' zegt Carl.

Lo loopt tussen ons in de trap op. We gaan voor niemand opzij. Ik voel me net een bodyguard.

'Als de school uit is, wachten we hier op jou,' fluistert Carl als we naar Lodewijks klas lopen. 'En anders wacht jij op ons.' Hij legt zijn hand op Lo's schouder. 'Je gaat níet naar beneden. Oké?'

Als Carl en ik weglopen, bedenk ik dat ik in ieder geval één ding zeker weet: Carl en Lo hebben het gisteren niet over Camping Le Château gehad.

24

Op weg naar de gymzaal komt Carl naast me lopen.
'Weet Lodewijk eigenlijk dat je een jongen was?' fluistert
hij.
Ik kijk hem niet begrijpend aan. Denkt hij echt dat ik het
nu ineens wel zal toegeven? Of is dit een dreigement? Tot
nu toe heeft hij nog nooit Sèm tegen me gezegd waar Lodewijk bij is. Voor hij iets kan zeggen, trekt David hem
mee en rennen ze naar de jongenskleedkamer.
Ik zet mijn gymtas in de hoek en trek mijn jeans uit,
sportbroekje aan. T-shirt over mijn hoofd, sportshirt aan.
Ondertussen pijnig ik mijn hersens. Er is geen andere
mogelijkheid: Lo moet voor me liegen. Ik bedenk wel een
smoes. Maar dan móet ik Lo spreken voordat Carl het
doet. Dat is lastig, we hebben afgesproken dat we hem
samen beschermen. Als ik mijn sportschoenen aantrek,
strikt Brit net haar veters. Het lijkt wel alsof ze een lint
om een duur cadeautje wikkelt. Zo overdreven. Dan pakt
ze haar sportshirt uit haar tas en vouwt het heel voorzichtig open. Is ze bang dat het kreukt of zo? Vlak voor
ze haar shirt over haar hoofd laat glijden, duik ik naar
mijn gympen. Boven haar blote buik zie ik nog net iets
wits met een kanten randje.

'Het deed zoooo'n pijn met voetbal woensdag,' zegt Brit tegen Maartje. 'Dan gaan we er nu eentje voor je kopen, zei m'n moeder. En toen kreeg ik er gelijk twee.' Ik vind haar echt zoooo'n aanstelster. Ze heeft nauwelijks gerend met voetbal, ze stond vooral stil. Hoe kan het nou zoooo'n pijn gedaan hebben? Maar alle meisjes, behalve ik dus, staan bewonderend om haar heen. Het is vast de kleinste die ze verkopen, maar ze is wel de eerste in groep 8 met een bh. Als de jongens maar niet raar gaan doen als ze ontdekken wat Brit onder haar shirt heeft. Of beter gezegd, onder haar bh.

Ze zagen er precies hetzelfde uit: twee lange vlechten, een roze met wit gestreept hemdje, een strak kort roze broekje en witte teenslippers. De Duitse tweeling leek nog meer op elkaar dan ik en mijn spiegelbeeld. Kreeg je soms korting als je alles dubbel kocht?

Ze waren nog maar een paar meter van ons vandaan toen Neil ineens bleef staan. Wij stopten ook. Het bospad langs de heuvel achter het kasteel was smal, aan de ene kant liep de heuvel steil omlaag, aan de andere kant ging het snel omhoog. Ze konden onmogelijk langs zeven jongens, al zagen zij er natuurlijk acht. Ineens begreep ik waarom ze me laatst zo raar hadden aangekeken bij de damestoiletten. Ze dachten natuurlijk: wat doet die jongen hier? Waarom staat hij niet gewoon bij de pisbakken aan de andere kant?

Neil zette zijn benen een stukje uit elkaar en plantte zijn handen in zijn zij. Hij stak een kop boven ons uit en hij had overal, echt overal sproeten. Niet alleen zijn haar was rood, hij verbrandde ook als een gek. Iedereen noemde hem Redhead. Hij had een week geleden geroepen of ik mee wilde doen met voetballen. Nu was hij weer de eerste die iets zei.

'Boobs,' zei hij. 'Look.'

Zo noemde Neil meisjes, boobs. Ik wist niet wat dat betekende. Tietjes, had papa gezegd. En meteen daarna vroeg hij verbaasd: Wat is dat voor jongen? Speel je daarmee? Papa wist niet dat Neil mij nooit zo zou noemen. Niet omdat ik nog niets had, maar omdat hij niet wist dat ik een meisje was.

De tweeling pakte elkaars hand vast en keek een beetje ongemakkelijk, maar dat kwam vast ook omdat ze hem niet verstonden. Toen Neil met zijn wijsvinger dichterbij kwam, sprongen de meisjes achteruit en sloegen precies tegelijk hun armen over elkaar, zo vóór hun miniborstjes.

Neil begon te lachen. Ethan en Adam lachten mee.

Ik vond er niets grappigs aan. Maar ik zei niets. Ik was veel te bang dat ze mij dan raar zouden aankijken of, nog veel erger, zouden gaan twijfelen of ik wel een jongen was. Nee, ik kon alleen maar hopen dat Neil de tweeling snel met rust zou laten.

'Let's feel,' zei hij ineens terwijl hij zijn handen als klauwen in hun richting bewoog.

Oké, er prikten bij allebei twee puntjes omhoog onder hun T-shirt. So what? Waarom was Neil zo oversekst? Iets in mij

begon te koken. Die jongen spoorde niet! Gelukkig had ik nog
geen borsten, maar als ik ze wel had, zou ik precies hetzelfde
doen als de tweeling: mijn armen ervoor houden zodat hij er
niet bij kon.

'Waar blijven jullie?' roept juf Martina in de deurope-
ning. 'De jongens zijn al lang klaar! Hup, in de benen!' Ze
wacht tot iedereen de kleedkamer uit is.
Brit wiegt met haar heupen alsof ze een topmodel is. In
de gymzaal klinkt gefluit, het komt van boven. Alle jongens, behalve Lennart en Teun die een bal overtrappen,
zitten hoog in de touwen. Ze fluiten en lachen allemaal.
Komt dat door Brit? Kunnen ze zien dat ze een bh aan
heeft? Waarom doen jongens altijd zo raar als meisjes
borsten krijgen?

Neil stond vlak voor ze, Ethan en Adam ernaast. Ongeduldig
gebaarde Neil dat we allemaal naar voren moesten komen.
Gary, Oliver, Jean en Sébastian aarzelden, maar stapten toch
dichterbij. Ik ook. Het laatste wat ik wilde was opvallen, maar
ik verschuilde me achter Gary en een boom.
Hun armen, hun benen, overal zat kippenvel. Ze trilden als een
rietje. Was ik de enige die zag dat ze doodsbang waren? Het
liefst wilde ik heel hard weghollen, net als de tweeling, maar
ik bleef staan. Wat moest ik anders?
Toen Neil zijn hand uitstak, omhelsden de meisjes elkaar ste-

vig. Slim, zo kon hij er met geen mogelijkheid bij.

Neil trok een voor een de veters uit zijn gympen en knoopte ze aan elkaar.

Wat was hij van plan? Wilde hij de meisjes aan elkaar binden zodat ze niet weg konden lopen? Iemand moest hem tegenhouden! Ik keek naar Gary. Die wilde hier ook niet zijn, dat zag ik wel, maar waarom zei hij niets? Was iedereen bang voor Neil?

Hij probeerde de lange veter om hun enkels te leggen, maar ze trapten hem weg terwijl ze elkaar stevig vasthielden.

Goed zo! Op die manier kreeg Neil het nooit voor elkaar.

'Ethan, Adam, I need help,' zei Neil.

Zijn slaafjes knielden en grepen direct allebei twee enkels vast.

Dit mocht niet gebeuren. Ik hyperventileerde bijna.

Neil wilde net de veter om hun enkels slaan, toen we achter ons iemand hoorden roepen. 'Stop! Arrêt! Finito!'

Het fluitje van juf Martina gaat door merg en been. De meisjes staan al bij haar, de jongens laten zich gauw uit de touwen naar beneden glijden. Max, die het hoogst zat, is als eerste beneden. Hij is goed in klimmen én afdalen. Ik durf ook best omhoog, maar naar beneden vind ik een stuk enger.

Carl is als enige nog niet beneden. Was hij het? Riep hij dat we moesten stoppen in het bos? Heeft hij gezien dat ik daar stond en niets deed...

Centimeter voor centimeter laat hij zich omlaag glijden,

zijn handen zijn rood, hij kijkt niet naar beneden. Zo doe ik het ook altijd. Hij heeft ook hoogtevrees. En dan, voor ik zie wat er gebeurt, belandt hij met een doffe bonk op de vloer.

25

Juf Martina rent naar hem toe. We rennen allemaal mee.
'Doet het pijn?' vraagt ze.
Carl wrijft over zijn enkel en knikt. De tranen staan in zijn ogen. 'Mijn handen gleden weg,' zegt hij zachtjes.
David raapt Carls bril van de vloer. Die is gelukkig nog heel.
Hij zet 'm snel op zijn neus. Misschien ziet hij wel bijna niets zonder bril
Juf Martina knielt bij zijn voet, maakt zijn veters los en stroopt voorzichtig zijn sok naar beneden.
Rond zijn enkel wordt het al een beetje dik. Maar het opvallendst is het grote litteken. Je ziet precies waar de hechtingen hebben gezeten.
'Wanneer heb je je enkel gebroken?'
'In juli. Er zitten pinnen in,' zegt Carl.
We waren in juli in Frankrijk. Dan kon hij niet lopen. Die stem in het bos was dus niet van hem. Ik zucht. Hij kan ons niet gezien hebben.
Behalve als hij zijn enkel na 20 juli (die datum vergeet ik nooit meer) heeft gebroken, zegt een stemmetje. Het blije gevoel in mijn buik bevriest direct. Ik weet nog steeds niet 100% zeker of hij ons niet gezien heeft.

Neil was de eerste die wegrende. Hij had de grootste mond, en was tegelijkertijd de grootste lafbek van ons allemaal! Of eigenlijk net zo laf, want we renden allemaal weg, dwars door het struikgewas de steile heuvel af naar beneden, niemand zei nog iets of keek achterom. Toen ik bij onze tent aankwam, onder de schrammen en vieze vegen, dook ik direct op mijn slaapzak en deed de hele middag of ik sliep. Het was vreselijk warm, maar ik durfde geen voet meer buiten de tent te zetten, ik was veel te bang dat ik de tweeling tegen zou komen. Voetballen kon me helemáál gestolen worden. Ik hoefde ze niet meer te zien. Waarom had niemand Neil tegengehouden? Waarom hadden ze allemaal staan toekijken zonder iets te doen? Ik was zó boos op ze. Maar misschien was ik nog wel het kwaadst op mezelf.

De volgende ochtend vertrokken we. Een dag eerder dan gepland. Ik zei dat ik niet lekker was. Dat was niet eens gelogen. Ik wist niet dat je je zo beroerd kon voelen als je je ergens voor schaamde. Alle vrolijkheid verdween direct in het grote zwarte gat in mijn buik. In de auto waren papa en mama vreselijk lief voor me omdat ze het zo zielig vonden dat ik ziek was, maar zelfs slapen in een lekker hotelbed deed me niets. Ik had die meisjes net zo hard laten stikken als de anderen, alleen omdat ik mezelf niet wilde verraden. Wat een egoïstische trut was ik! Het was maar goed dat papa en mama niet wisten wat ik had gedaan. Anders waren ze vast niet zo aardig voor me geweest.

Juf Martina drukt een paar toetsen in op haar mobiel. 'Een gecompliceerde breuk dus. Ik neem geen enkel risico,' zegt ze tegen Carl. En dan duwt ze zichzelf overeind. 'Kunt u een ambulance sturen naar basisschool De Windhoek, Thorbeckeplein 4.'

Als meester Peter ons eindelijk laat gaan, hij zit weer eens op zijn praatstoel, loop ik gauw naar de klas van Lo. Hij staat op de gang te wachten. Precies volgens afspraak. 'Ben je alleen?' vraagt hij. 'Waar is Carl?'
'In het ziekenhuis,' zeg ik.
Hij staart me met grote ogen aan. 'Kwam die ambulance voor hem?'
Ik knik. 'Hij is gevallen.'
'Wat?' vraagt hij geschrokken. 'En nu?'
'Iets met zijn enkel. Hoe was het vandaag?'
Hij haalt zijn schouders op. 'Ik heb het scheetkussentje teruggegeven. Zonder dat juf Dora het merkte. Maar vanmiddag heeft ze het weer ingepikt. Dat is nummer twee, zei ze toen ze het in haar la gooide. Toen hadden Melle en Marius pas door dat hun oude scheetkussentje daar nog steeds lag.' Er komt een voorzichtig lachje op zijn gezicht. 'Ze waren kwááád! Maar het was hun eigen schuld dat ze het afpakte. Melle had het op de stoel van juf Dora gelegd.'
Hoe dom kun je zijn...

'Waar zijn ze nu?' vraag ik. Ik hoop niet dat ze ons buiten opwachten. Zonder Carl beginnen we niets tegen die driftkikkers. Hij heeft dan wel hoogtevrees, maar hij is niet bang voor M&M en best sterk.

Lo wijst met zijn hoofd naar de klas. 'Ze moeten tot vijf uur nablijven.'

'Net goed!' Ik stomp tegen zijn schouder.

'Zullen we kijken of Carl thuis is?' vraagt Lo als we de school uit lopen.

Zolang ik niet weet of die stem in het bos van hem was, ontloop ik hem eigenlijk het liefst. Maar het laatste dat ik wil is dat Carl en Lo over me praten als ik er niet bij ben. Nee, dan kan ik er maar beter bij zijn, en zorgen dat ze niet over Camping Le Château beginnen.

'Best,' zeg ik. 'Maar eerst even langs omi, anders denkt ze dat je weer aan het vechten bent.'

26

'Kom binnen,' zegt zijn vader. 'Dat zal Carl leuk vinden.'
Op krukken hinkt hij voor ons uit. Als ik alleen al aan een
slang denk, lopen de sidderingen over mijn rug. En als ik
me voorstel dat hij steeds dichterbij glijdt en me met zijn
enge kraaloogjes aanstaart, ril ik van top tot teen.
Carl ligt op de bank met een kussen onder zijn voet en
een wit verband om zijn enkel.
'Is ie gebroken?' vraagt Lo.
Carl schudt zijn hoofd. 'Verstuikt.'
'Dag Lodewijk,' zegt Carls tante. 'Hé, ben jij niet dat
meisje van het zwembad? Sannie toch? Hoe is het met je
oma?'
'Goed,' zeg ik.
'Wat aardig die bloemen. Geef maar, dan zoek ik een
vaas.'
Ze pakt de bos rode tulpen uit mijn hand en loopt ermee
naar de keuken. Omi had ze net gekocht. Het papier zat
er nog omheen. Geef ze maar aan die arme jongen, zei ze.
Daar bedoelde ze Carl mee, maar eigenlijk zijn ze natuur-
lijk voor zijn tante. Ik denk niet dat Carl op bloemen zit
te wachten. Dat is meer iets voor vrouwen, volgens mij.
Mama houdt van bloemen, papa vindt ze stinken.

'Doet uw voet nog pijn?' vraagt Lodewijk aan Carls vader.
Hij schudt zijn hoofd. 'Nee hoor. Maar ik zal blij zijn als
ik weer gewoon kan lopen en terug naar huis kan.'
Gek idee dat zijn huis in Afrika is en dat van Carl hier.
Mist hij zijn moeder niet? Ik vind tien dagen al lang, hij
heeft haar al veel langer niet gezien en straks gaat zijn
vader ook weer weg. Eigenlijk vind ik 'm best zielig zoals
hij daar op de bank ligt met zijn voet op een kussen.
'Schrok u niet?' vraagt Lodewijk. 'Ik zou doodsbang zijn
als er een slang op me af kwam.'
Carls vader kijkt hem niet begrijpend aan. 'Slang?' Dan
fronst hij zijn wenkbrauwen en kijkt naar Carl. 'Heb jij ze
wijsgemaakt dat ik gebeten ben door een slang?'
'Door een slang?' roept Carls tante als ze binnenkomt met
de theepot. 'Wie is er gebeten door een slang?'
Carl wordt rood, maar kijkt alsof hij van niets weet.
Zijn vader lacht. 'Niemand, Wiep. Carl maakt de dingen
graag mooier dan ze zijn. Een slangenbeet klinkt in ieder
geval veel spannender dan een goedaardig gezwel. Ik kon
vorige week zo uit het vliegtuig de operatiekamer in.'
Dus daarom was Carl donderdag later op school. Ze gingen zijn vader afhalen en naar het ziekenhuis brengen.
Carl liegt zelf ook. Alleen de operatie is waar.
'Deze jongen heeft echt pech.' Hij legt zijn hand op Carls
arm. 'Gelukkig zitten alle pinnen nog op hun plaats. Am-
per tien weken geleden brak hij z'n enkel op vijf plaatsen.'

'Op vijf plaatsen?' vraagt Lo. 'Hoe krijg je dat voor elkaar?'

'Gestruikeld,' zegt Carl zacht.

Pech zit in een klein hoekje, zegt papa altijd.

'In het kasteel?' vraagt Lo.

Carl schudt zijn hoofd. 'In het bos erachter.'

Verbeeld ik het me of kijkt hij vanuit zijn ooghoek of ik schrik. Natuurlijk schrik ik me rot. Mijn hart bonkt in mijn oren. Dat is het bos waar wij waren... Was die stem toch van Carl? Weet hij dat ik heb staan toekijken hoe Neil bijna aan de miniborstjes van de Duitse tweeling ging voelen? En dat ik niets gedaan heb, níets, zelfs niet toen Neil hun enkels bijna aan elkaar bond... Of struikelde Carl een andere dag?

'Hij had geluk dat er net twee meisjes aan kwamen rennen,' zegt zijn vader. 'Anders had hij daar nog uren gelegen. Er komt zelden iemand in dat bos.'

27

Voor ik echt knalrood word en Carls vader gaat vragen wat er met me is, piep ik dat ik vreselijk nodig moet. Ik struikel bijna over mijn benen als ik naar de gang hol. Het was Carls stem! Dus toch... Hij heeft ons gezien. Hij kruipt steeds dichterbij, net als een slang naar zijn prooi. Hij heeft bijna beet... Ik hoop zo dat hij ze niet kon verstaan toen ze vertelden dat een paar jongens hen wilden vastbinden en de anderen toekeken. En dan bedenk ik hoe het moet voelen als je enkel op vijf plaatsen gebroken is... Nee, hij had vast veel te veel pijn om zich om de tweeling te bekommeren.

Er vallen wat druppeltjes in de wc-pot, meer niet. Het liefst zou ik hier willen blijven zitten ook al is de wc-bril keihard, maar ik móet terug, anders denken ze dat er iets is.

Alleen Lo en Carl zijn nog in de kamer. Ik ben nog niet binnen of Lodewijk vraagt: 'Wist je dat Carls opa en oma vlak bij Camping Le Château wonen? Daar was jij toch ook?'

Zie je wel, ik had ze nooit alleen mogen laten! Onderweg naar school vanmorgen kon ik me er nog net uit redden door over het scheetkussentje te beginnen, nu ben ik te laat. Maar ik weet dat er meer dan duizend campings in Frankrijk zijn en ontelbaar veel kastelen.

'Hartstikke veel campings daar heten zo,' zeg ik snel terwijl ik uit het raam kijk om Carls ogen te ontwijken. 'Het zou ook wel heel toevallig zijn,' zegt Lo. 'Frankrijk is zo groot. Nu moet ík even plassen.'

Ik kijk hem na als hij de kamer uit loopt. Lo gelooft me, dat is in ieder geval iets.

Ik staar uit het raam. Een kraai pikt tussen de bladeren. Het zwaard hangt boven mijn hoofd, Carl hoeft het alleen maar te laten zakken.

'Waarom geef je niet gewoon toe dat je daar was?' vraagt hij ineens.

Ik doe net of ik hem niet hoor.

'Schaam je je soms ergens voor?'

Zijn woorden komen aan als een mokerslag. Bloed spuit als een fontein omhoog. Hij weet het... Hij weet dat ik me schaam. Ik wil schreeuwen dat hij onzin uitkraamt, maar mijn keel zit dicht. De kraai klapt zijn vleugels uit en vliegt naar de rand van de schutting waar hij luid begint te kraaien. Kon ik ook maar wegvliegen, weg van Carls vragen.

'Wie zwijgt stemt toe,' zegt hij.

Mijn keel voelt aan als schuurpapier. 'Waar heb je het over, man,' zeg ik schor.

'Ik kan het bewijzen,' zegt hij. 'Ik weet iets van jou.'

Ik haal mijn schouders op, alsof het me volkomen koud laat. Ondertussen sta ik te trillen als een rietje, net als de tweeling in het bos. Hij weet dat ik erbij stond en niets deed.

'Kom eens,' zegt Carl.

Ik draai me om. 'Waarom?'

'Kom nou even.' Hij gebaart dat ik dichterbij moet komen.

Ik doe een stap naar voren. Voor ik doorheb wat er gebeurt, grijpt hij mijn T-shirt beet. Ik probeer los te komen, maar hij houdt het stevig vast. Wat wil hij? Ik heb nog geen eens miniborstjes! Wil hij net als Neil... Ik krijg geen adem. Waar blijft Lo?

'Ik hoef alleen je navel te zien,' zegt hij als hij mijn T-shirt loslaat.

Ik zucht. Pff, er valt ook niets te zien daarboven. Ik ben net zo plat als hij en Lo. Maar wat is er zo interessant aan mijn navel? Ik trek m'n T-shirt een klein stukje omhoog.

'Zie je wel! Die heeft Sèm ook,' roept Carl terwijl hij me onuitstaanbaar triomfantelijk aankijkt.

Ik laat mijn hoofd zakken en staar naar mijn buik. Ik zie helemaal niets bijzonders.

'Daar naast je navel!'

En dan zie ik het. Die bruine vlek hoort zo bij mij dat ik er nooit bij stil sta dat iemand daar op let, laat staan dat iemand mij er aan zou kunnen herkennen. Vanuit de tuin kon hij mijn moedervlek vast niet zien, tenzij hij een superbril heeft. Of had hij een verrekijker? Mijn hart begint steeds alarmerender te bonzen. Als hij een verrekijker had, dan had hij die vast ook mee naar het bos...

'Ik wist dat ik gelijk had!' zegt Carl. 'Ik heb altijd gelijk.'

En dan gaat de deur open.

Lodewijk kijkt me peinzend aan als hij de deur achter zich dichtduwt. 'Weet je nog in welke plaats jouw Camping Le Château was?'

Voor ik iets kan zeggen, bijvoorbeeld: nee, dat weet ik niet, roept Carl vanaf de bank: 'Souspierre. Sannie was in Souspierre.'

Gelukkig zegt hij Sannie en geen Sèm.

Lo loopt naar Carl. 'Hoe weet jij dat?' Zijn wenkbrauwen zitten bijna in zijn haar.

'Omdat ik haar gezien heb,' zegt Carl. 'Wist jij dat Sannie heel goed kan voetballen?'

'Tuurlijk,' zegt Lodewijk. 'Sannie is hartstikke goed. Veel beter dan ik.'

'Hoelang kennen jullie elkaar eigenlijk al?' vraagt Carl.

'Sinds onze geboorte,' zegt Lodewijk. 'Sannie is mijn nichtje en mijn buurmeisje. En mijn beste vriendin.'

Lieve Lo. Nog wel... Hij moest eens weten.

'Dus jij was op de camping naast het huis van Carls opa en oma?' Lo's ogen rollen bijna uit hun kassen.

Ik knik. Wat kan ik anders? Ik moet wel nog even rechtzetten dat Carl míj heeft gezien, ik hem niet. Maar voor ik iets kan zeggen, buitelen de woorden alweer uit zijn mond.

'Zijn jullie daar net achter gekomen? Wat toevallig!' Lo lacht.

Dat er niets grappigs aan is, dat het geheim al weken tussen Carl en mij in hangt, dat ik net ontmaskerd ben, begrijpt Lo natuurlijk niet. Ik heb hem nooit iets verteld. Ik pers er een lachje uit, want Carl lacht ook. Van oor tot oor. Ik kijk vast alsof ik net een citroen heb ingeslikt, want ik weet nog steeds niet wát hij precies gezien heeft voor hij struikelde. En of de tweeling nog iets heeft gezegd, weet ik evenmin. Het zwaard boven mijn hoofd kan ik nu bijna aanraken, Carl hoeft het nog maar een piepklein stukje te laten zakken en dan is het echt finito met mij.

Ik moet iets zeggen, maar mijn lippen lijken vastgelijmd. Wat zal Lo wel niet denken als hij weet wat ik gedaan heb? Misschien wil hij niets meer met mij te maken hebben. Misschien wil hij wel liever vrienden worden met Carl en de hele dag over kastelen praten. Het liefst zou ik weghollen, maar dan verpest ik het zeker voor mezelf. Ik kan er beter bij blijven.

'Sannie heeft mij niet gezien,' zegt Carl. Weer die lach.

Is hij zo vrolijk omdat hij op het punt staat om te vertellen wat hij in het bos gezien heeft?

'Hoe kan dat nou?' vraagt Lo. 'Had je je verstopt of zo?'

Bijna goed, Lo.

'Ik zag haar voetballen vanuit onze tuin,' zegt Carl.

'Dat was zeker toen je net je enkel had gebroken.' Er

klinkt medelijden in Lo's stem.

Carl schudt zijn hoofd. 'Het was daarvoor.' Hij veegt een stofje van zijn broek. 'Een jongen die deed alsof hij de baas was, vond me niet goed genoeg.'

Hij bedoelt Neil. Die zei direct dat ik veel beter speelde dan *the other guy*, die andere jongen. Later zei hij nog een paar keer dat hij blij was dat *the guy with the glasses* niet meedeed, die kon er niets van. Carl heeft een bril, hij was het dus. En toen is hij ze gaan bespieden. Uit jaloezie of verveling of een beetje van allebei. Ineens zag hij dat een nieuwe jongen, ík dus, wél mee mocht doen... Hij bleef ons achtervolgen, naar het meer, het bos...

Zeg het dan, Carl! Alles is beter dan wachten tot het moment dat toch gaat komen. Dan kan het maar beter achter de rug zijn. Misschien lucht het op.

Ik schraap mijn keel. 'Wat deed je eigenlijk in het bos die dag dat je je enkel brak?' Eerst maar eens een vraag stellen. Ik weet nog steeds niet of hij mij gezien heeft.

'Zomaar, een wandelingetje,' zegt Carl. Hij wordt rood. Logisch, hij liegt. Hij weet dondersgoed dat Lo hem ook vreemd zal vinden als hij zegt dat hij de hele vakantie een groepje jongens heeft bespied. Mét een verrekijker.

'Maar hoe brak je dan je enkel?' vraagt Lo.

'Ik zag die zogenaamde baas van het voetbalveld met zijn maten om twee meisjes staan. Ik wist meteen dat er iets niet in de haak was. Ik rende erop af en riep dat ze moesten stoppen, en toen struikelde ik over een tak. Mijn enkel klapte helemaal dubbel, ik verrekte van de pijn. Maar ze stoven allemaal de heuvel af. Lafaards! Die twee meisjes hebben me gered.'

'Vertelden ze nog wat er aan de hand was?' vraag ik zo achteloos mogelijk.

Carl schudt zijn hoofd. 'Ze zijn direct hulp gaan halen. Ik heb ze niet eens meer kunnen bedanken. De volgende dag waren ze vertrokken.'

Niet alleen de tweeling mag Carl dankbaar zijn dat hij stop riep. Ik ook! Was ik anders echt blijven toekijken hoe Neil...? Of wilde hij ze alleen maar bang maken?

Is dat niet erg genoeg? Wij waren met z'n achten! Hoe zou ik me gevoeld hebben met al die jongens om me heen?

'Jij was er toch niet bij die middag?' Carl kijkt me schuin aan.

Ik stond achter een boom. Carl viel voor hij me kon zien... Ik zou superopgelucht moeten zijn, maar ik voel niets.

Ik schud mijn hoofd. Ik weet het, ik ben een lafaard, net als die dag. Daar moet ik de rest van m'n leven mee dealen. Dat is al erg genoeg. Ik wil niet ook nog Lo kwijtraken.

'Heb je spelletjes?' vraag ik.

Carl wijst naar een hoge kast.

De deur piept als ik hem opentrek. Drie planken vol met

dozen. Ik heb geen flauw idee wat je er allemaal mee kunt doen, ik doe nooit spelletjes. Ik draai me om, want ik kan het maar beter aan Lo en Carl vragen.

'Weten jullie iets leuks voor ons drieën?'

Ellen Stoop woont en werkt in Amsterdam. Ze schrijft al jaren, naast haar werkzaamheden als schrijf-docent, redacteur en com-municatieadviseur. Dat ze ook voor kinderen kan schrijven, ontdekte ze pas later. Het liefst schrijft ze eigentijdse realistische verhalen met humor en emotie. Haar debuut, Jade bijna elf, werd be-kroond met de Hotze de Roos prijs.

www.ellenstoop.nl

Lees ook van Ellen Stoop:

Jade vindt het maar niks dat haar oudere zus Maxime steeds
ruzie maakt met haar moeder, maar nog veel erger is het dat
Maxime zomaar besluit om voortaan bij haar vader te gaan
wonen. Snapt dan niemand dat Jade haar zus heel erg mist?
Als Jade's beste vriendin haar ook laat zitten, weet Jade even
niet meer wat ze moet doen. Maar dan is daar ineens dat
kaartje, op het prikbord in de supermarkt. Kapper zoekt krul-
lenmodel met halflang haar, vanaf 12 jaar. Dat ben ik! denkt
Jade meteen. Iedereen zegt altijd dat ze zulke mooie krullen
heeft. Er is alleen één probleem. Ze is pas bijna elf…

ISBN 9789025110833

Het is allemaal de schuld van meester Engel, vindt Pien. Die
man is geen engel maar een engerd! Als hij niet zo'n stom plan
had bedacht om de klas in groepen te verdelen en een wedstrijd te houden, was ze nu nog gewoon vriendin met Amber.
Die durft niet eens meer met haar te praten, ook niet na
schooltijd... Tot Piens grote verbazing gaat de hele klas, inclu-
sief Amber, volledig op in deze wedstrijd waarin alles draait om
het verdienen van punten. Maar Pien trekt zich van niemand
iets aan en zorgt voor een onverwachte ontknoping.

Alleen verkrijgbaar als e-book
ISBN 9789025111649

Als Bloem thuis een brief van het tv-programma Moederruil ziet liggen, schrikt ze enorm: haar moeder gaat toch niet mee-doen?! Ze kijken het altijd samen en op tv is Moederruil super-grappig... In het écht zo'n wildvreemd mens in huis, daar moet ze dus niet aan denken!

Maar de ruilmoeder blijkt erg leuk te zijn. Alleen, wanneer gaat ze eigenlijk weer weg en waarom is haar vader ineens zo vro-lijk?

Moederruil... maar dan anders!

ISBN 9789025111601

Kaat vindt het geen probleem dat ze niet op vakantie gaat. Zij vermaakt zich wel met David, Lin, Lena, Dickie, Ida en vooral... Arthur - niemand van de club gaat dit jaar op vakantie. Thuisblijven betekent dicht bij Arthur zijn, dus wat Kaat betreft mag deze zomer heel lang duren.

Maar denken haar ouders nu echt dat zij niet snapt wat er aan de hand is? Ze wilden gewoon eens thuisblijven, hadden ze gezegd. Tuurlijk! Maar haar moeder wil ook niet met haar winkelen zolang het geen uitverkoop is. Blut dus. Wat een geheimzinnig gedoe! Maar de zomer brengt nog veel meer geheimen dan ze ooit had kunnen vermoeden. En wat niemand, echt niemand, had kunnen bedenken, was dat dit de laatste zomer van de club zou zijn.

ISBN 9789025112387

Omslag: Sproud, Haarlem

ISBN 9789025112974
NUR 283